W9-CAL-154

Yo tenía doce años,
cogí mi bici
y me fui al colegio...

Sabine Dardenne

Yo tenía doce años, cogí mi bici y me fui al colegio...

Con la colaboración de
Marie-Thérèse Cuny

Traducción de
Virginia López-Ballesteros

Círculo de Lectores

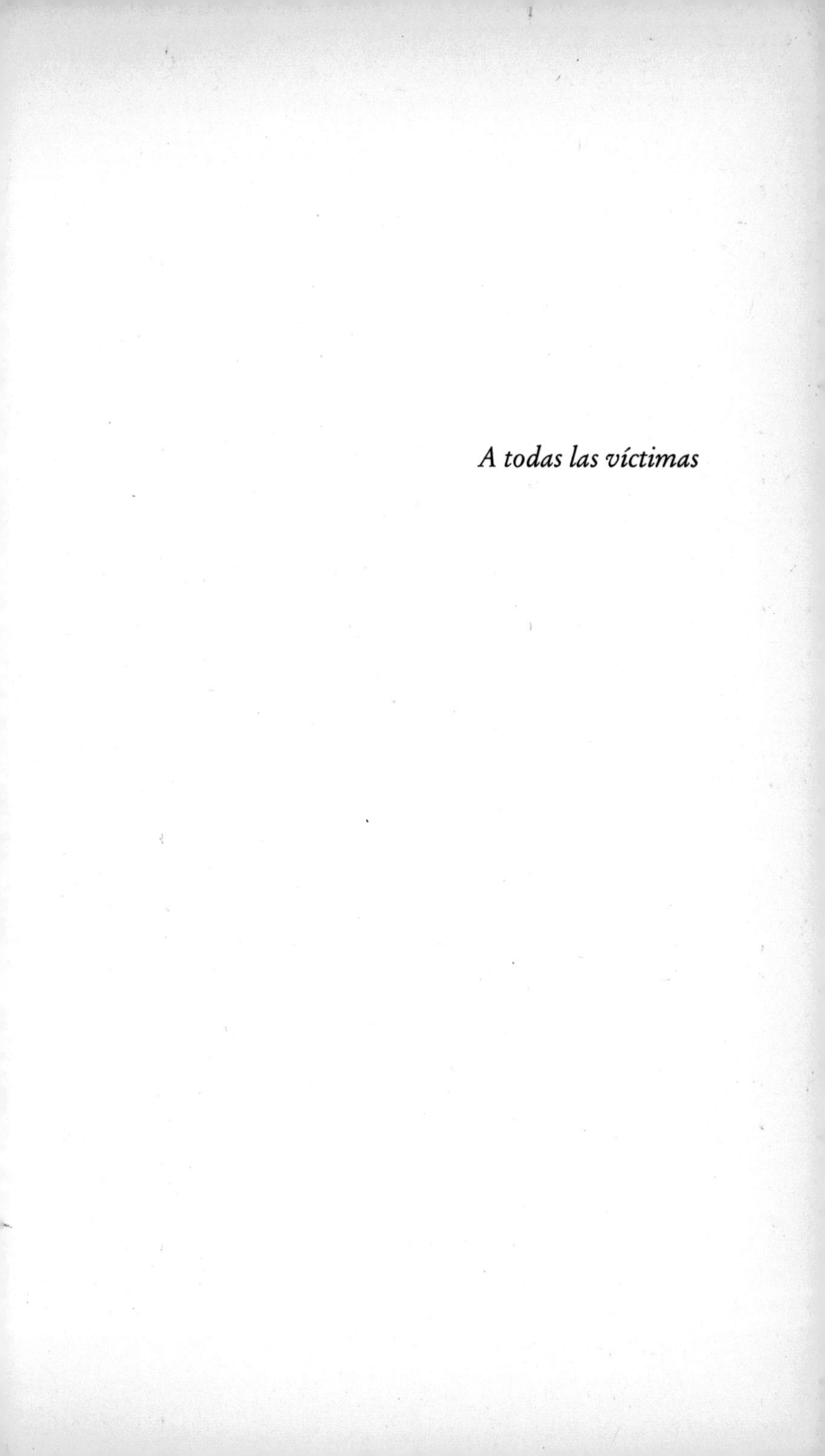

A todas las víctimas

AGRADECIMIENTOS

Quiero expresar mi especial agradecimiento a

Marie-Thérèse Cuny y Philippe Robinet, así como a todas las personas que me permitieron hacer este libro.

Maître Rivière y Maître Parisse, en quien confío plenamente. Me apoyaron, aconsejaron, protegieron... y aún lo siguen haciendo.

Mi Bonne Maman, que ya no está y a la que echo mucho de menos.

Mi madre, a pesar de las desavenencias. ¡Madre sólo hay una!

Mi padre.

Mi compañero, del que me aparté voluntariamente durante el juicio, pero que me apoyó y me sigue apoyando, al igual que su familia.

Jacques Langlois, juez de instrucción.

Michel Demoulin, una persona a la que aprecio mucho, así como a todos los inspectores de la célula de Neufchâteau.

Doy las gracias a

Mi hermana mayor por estar ahí,

Mi amiga Davina, que me sigue escuchando,

Laetitia, quien, pese a las discrepancias del pasado, me apoyó durante el juicio, y con la que sigo en contacto,

El castillo de Pont d'Oye, donde estuvimos alojados durante cuatro meses,

Los comisarios Shull y Simon, que se ocuparon de que todo estuviera perfectamente organizado para mí durante el juicio,

Jean-Marc y Anne Lefebvre, que nos acogieron en su casa con los brazos abiertos,

Thierry Schamp, que pasó un día entero dentro de su coche por si me ocurría algo durante la visita al zulo el 27 de abril de 2004,

El restaurante Tante Laure, cuyo personal se ocupó tan bien de nosotros,

Aquellos periodistas que me apoyaron y que siempre fueron correctos conmigo,

La gente de mi trabajo que me permitió ir al juicio sin ponerme ninguna pega.

Le estoy también muy agradecida, en grado diverso, cada uno a su nivel, y por orden alfabético, a

André Collin,
Jean-Marc Connerotte,
Robert y Andrée Flavegèce,
Jean Lambrecks,
Jean-Denis Lejeune,
Lucien Masson,

Philippe Morandini,
Bernard Richard,
El juez de instrucción Tollebeeck y todos los inspectores de Tournai,
Yves y Josianne Vandevyver.

TENÍA DOCE AÑOS

Tenía doce años, cogí mi bici y me fui al colegio... Me llamo Sabine, vivía en un pequeño pueblo de Bélgica y desaparecí en el camino al colegio. Los gendarmes pensaron primero que me había fugado, y mis padres esperaron mucho tiempo que así fuera. Por la noche, mi madre dejaba una luz encendida y una contraventana abierta por si decidía volver al redil. Mi abuela echaba todos los cerrojos menos uno con idéntica esperanza.

Era una niña un poco rebelde –en cualquier caso muy independiente– y no me dejaba mangonear. Me peleaba a menudo con mis hermanas mayores y con mi madre. Aquel día, llevaba en mi mochila el carné de notas firmado por mi madre, en el que figuraba un suspenso en matemáticas. Era lógico pensar en una fuga, es el primer reflejo en este tipo de pesquisas. Después, se espera una demanda de rescate: el teléfono familiar se pone bajo escucha y los padres se sobresaltan a la menor llamada. ¡Hasta sospecharon de mi padre! Durante ese tiempo, los periódicos sacaron en grandes titulares los resultados de la investigación: «Imposible encontrar a Sabine»; «Batidas en Rumillies»; «Un helicóptero para localizar a Sabine»; «Búsquedas en vano»... La gendarmería puso en marcha una célula de emergencia con un número de teléfono para los testigos, se imprimieron carteles que se pegaron en muros y escaparates, y que se distribuyeron también por la calle. Se dragó el Escaut, los gendarmes efectuaron la tradicional encuesta al vecindario, se envió un helicóptero a sobrevolar los campos de alrededor, incluso los niños del colegio participaron en la búsqueda, haciendo batidas en bosques y descampados. Cientos de automovilistas pegaron avisos de desaparición en sus vehículos. Ciento cincuenta hombres y ciento dieciséis militares participaron en las batidas, que resultaron vanas.

Me buscaron durante ochenta días. Mi fotografía de colegiala fue estampada en todos los muros de mi país, e incluso del extranjero.

DESAPARICIÓN DE UNA MENOR DE EDAD

Estatura: 1,45 m, complexión delgada, ojos azules, cabello rubio semilargo. En el momento de la desaparición vestía zapatillas negras con suela de esparto, vaquero azul, camiseta blanca de manga larga, jersey grande rojo y chubasquero azul; Sabine llevaba su carné de identidad y su mochila marca Kipling. Llevaba consigo una suma aproximada de 100 f belgas.

Se marchó de su domicilio con su bicicleta todoterreno marca Dunlop, color verde metalizado, con una bolsa roja atada en el portaequipajes.

Fue vista por última vez en la Chaussée d'Audenarde, cerca del puente de la autopista en dirección a Tournai, sobre las 7.25 h de la mañana, el 28 de mayo de 1996.

Si usted ha visto a Sabine o dispone de información sobre su paradero, diríjase a la gendarmería de Tournai o a la comisaría de policía.

A partir de ese momento, entré a formar parte de la triste lista de niñas y adolescentes desaparecidas en Bélgica.

Julie Lejeune y Melissa Russo. Desaparecidas juntas el 25 de junio de 1995, a la edad de ocho años.

An Marchal y Eefje Lambrecks. Desaparecidas juntas el 23 de agosto de 1995, a la edad de diecisiete y diecinueve años.

Sabine Dardenne. Desaparecida sola el 28 de mayo de 1996, a la edad de doce años y medio.

Laetitia Delhez. Desaparecida sola el 9 de agosto de 1996, a la edad de catorce años y medio.

Las seis víctimas del caso que sacudió a mi país como un terremoto popular mediático y político. Periodistas del mundo entero aún lo llaman «el caso Dutroux» o «el monstruo de Bélgica».

Lo viví desde dentro, y callé durante años sobre «mi caso» personal en la pésima compañía del psicópata más odiado de Bélgica.

Soy una de las pocas supervivientes que ha tenido la suerte de poder salvarse de ese tipo de asesino. Este relato me era necesario para que dejen de mirarme de manera «rara» y para que nadie me vuelva a hacer preguntas en el futuro. Pero si he tenido el valor de reconstruir este calvario, es sobre todo para que ningún juez vuelva a liberar a un pedófilo en mitad de su pena por «buena conducta» y sin ningún tipo de precauciones. Algunos son declarados responsables de sus actos e inteligentes. Se les considera aptos para el juicio, y por tanto para el tratamiento psicológico. Esta actitud es espeluznantemente angelical.

En resumen, van a parar a la cárcel durante un tiempo, o toda la vida en caso de reincidencia. Es lo de la reincidencia lo que me saca de quicio. Porque existen técnicas modernas y sofisticadas que permiten controlar los desplazamientos de un «depredador aislado» una vez que ha sido descubierto. La justicia puede disponer de esos recursos, la decisión depende de los gobiernos.

Por favor, que no se les olvide en el futuro. Que algo así no vuelva a ocurrir nunca más.

Cumpliré veintiún años el 28 de octubre de 2004. Tengo toda la vida por delante, y espero que, por fin, sea apacible, aunque «No se puede olvidar lo inolvidable».

Sabine Dardenne
Agosto de 2004

I

EN BICI

Tenía doce años. Esa bici, yo no la pedí. Me la regaló mi padrino por mi comunión, y fue el regalo más bonito de cuantos me hicieron. Venía de una tienda de Mons y era una serie limitada –llevaba un número–, una Viking Dunlop; no había muchas iguales. Era una bicicleta verde muy bonita. El faro funcionaba mal, y mi padre lo cambió por el de mi vieja bici. Era por tanto perfectamente reconocible. La utilizaba para ir al colegio desde hacía sólo unas semanas. Llevaba mi mochila puesta, y una pequeña bolsa de piscina atada detrás. Empecé a pedalear tranquilamente mientras apenas comenzaba a amanecer. Un martes 28 de mayo de 1996.

Una no piensa todas las mañanas al ir al colegio que va a ser raptada al vuelo por un depredador escondido dentro de una camioneta.

Cada vez que he tenido que contarlo, a los investigadores, en la audiencia o a una amiga de entonces, me he vuelto a ver en ese trayecto, arrancada de mi bici junto al gran seto, a cincuenta metros del jardín de mi amiga. Soy capaz de volver a hacer ese recorrido a pie, en coche o en bici. Pero ese preciso momento y ese lugar han quedado insoportablemente grabados en mi mente.

El momento en que un monstruo mató mi infancia.

Aquella mañana, mi padre me vio salir y me siguió con la mirada hasta la entrada del puente. Le hice una última seña, giré en dirección al colegio y él se marchó por su lado... En ese punto hay una bifurcación y tenía que estar atenta para girar a la izquierda en dirección al estadio y a la piscina, y luego al colegio.

Normalmente, tardaba diez minutos o un cuarto de hora en llegar al colegio. Debe de haber como máximo dos kilómetros, dos kilómetros y medio, no más. Había recorrido dos tercios del camino cuando llegué a la calle del estadio.

Es una calle desierta, no se ve ni un alma a esa hora. Eran las siete y media; habría salido de casa a las 7.25, aproximadamente. Mi amiga Davina solía esperarme delante de su casa, cuyo garaje daba a esa calle. Me veía llegar desde el jardín y hacíamos el resto del camino las dos, o los tres cuando venía también su hermano pequeño.

Si al llegar a la altura de su casa no la veía, seguía yo sola y nos encontrábamos en el colegio. Entonces, yo me decía: «Su madre habrá decidido llevarla hoy en coche, o ya se habrá marchado, o no habrá salido aún de su casa...». Pero como tenía que aparcar mi bici al llegar y eso me llevaba algunos minutos, si no la veía, pasaba de largo sin esperarla; era un acuerdo tácito entre nosotras.

Aquel día desde lejos vi que no estaba, así que seguí pedaleando por la calle desierta, junto al seto tupido y bastante alto. Como en ese tramo no había arcén, circulaba por en medio de la calzada, ciñéndome a la derecha cuando oía un motor de coche.

Me gustaba llegar temprano al colegio y aparcar tranquilamente mi bicicleta. Faltaba poco para que finalizara el año escolar, mi primer año de secundaria. Me iba bastante bien, pero era nula en matemáticas y mi madre me lo solía reprochar:

«¡Has vuelto a suspender!»

La mayoría de las veces, yo me encogía de hombros y me largaba a jugar a la cabaña del jardín, o a casa de mis amigas. Decían de mí que tenía «mal carácter», pero, como era bastante independiente, no me afectaba demasiado. A decir verdad, mi mal carácter fue mi mejor amigo y lo sigue siendo.

Aquella mañana del martes 28 de mayo de 1996 no iba pensando forzosamente en todo esto. Ni siquiera sé si iba pensando. Iba pedaleando despacio; la calle del estadio era pequeña, tranquila pero oscura por la parte trasera del estadio de fútbol.

Oí un motor, me puse a la derecha. Estaba a cinco metros del garaje de mi amiga, muy cerca del seto. Detrás de ese seto hay una casa. Si alguien hubiera estado en el jardín o asomado a la ventana, lo habría visto todo. Pero no había nadie, era demasiado temprano y estaba todo bastante oscuro. Si Davina hubiera estado esperándome aquel día, quizá no habría ocurrido nada... Si hubiera pasado la pandilla de alumnos que suele coger la calle del estadio para atajar en el camino hacia el colegio, habría habido numerosos testigos.

Pero no se divisaba absolutamente a nadie. Iba adelantada.

Era una furgoneta cochambrosa, la típica camioneta transformada en caravana, con tres asientos delante y un sofá cama en la parte trasera. Unas horribles cortinas de cuadros amarillos y marrones y cientos de pegatinas tapaban las ventanillas. Cuando veía una así por la calle con mi madre, solía decirle riéndome:

«¡Menuda tartana, fíjate cómo se bambolea! Con el tubo de escape a punto de caerse, y el ruido que hace el motor...»

Tuve tiempo de notar cómo esa horrenda camioneta se ponía a mi altura, y de verla de verdad. La puerta lateral estaba abierta. Un hombre estaba inclinado hacia fuera y otro conducía. No entendí exactamente lo que estaba ocurriendo porque, instintivamente, cerré los ojos antes incluso de tener miedo. Sentí cómo me «arrancaban» de mi bici en un segundo, cogiéndome literalmente al vuelo, y me tapaban la boca con una mano y los ojos con la otra. Mi pie quedó enganchado un instante en el sillín. La bici se cayó al suelo. En un relámpago, me metieron en la camioneta y el hombre me arrancó la mochila.

Se ve mucho en las películas: las imágenes se suceden muy rápido y «¡hop!», ya está hecho.

Cuando se lo conté a Davina mucho después, me preguntó:

–Pero ¿no pudiste hacer nada? ¿No pudiste defenderte?

Yo iba pedaleando y «¡hop!», ¡embarcada en la camioneta! En realidad, me tenían localizada desde hacía una semana, como unos cazadores. Claro que intenté defenderme, pero no daba la talla. Doce años, con aspecto de tener diez, un metro cuarenta y cinco, y treinta y tres kilos... Era tan menuda, tan minúscula, que los mayores del colegio me solían preguntar:

«Oye, ¿estás segura de que estás en primero?»

Inmediatamente empaquetada en una manta, una mano intentó meterme a la fuerza unas pastillas en la boca; me puse a chillar y el hombre, inclinado sobre mí, protestó:

–¡Cállate! ¡No te va a pasar nada!

Empecé a bombardear a preguntas a ese tipejo.

–¿Quién es usted? ¿Qué quiere de mí? ¿Qué estoy haciendo aquí?

»Y mi bici, ¿dónde está? Tengo que ir al colegio... ¿Quién es usted? ¡Suélteme! ¡Tengo que ir al colegio! ¿Qué es lo que quiere?...

Creo que le mareé a preguntas desde el principio; odio que no me contesten. Todavía hoy, si no obtengo respuesta a algo, enseguida me pongo nerviosa y no paro hasta obtenerla. Supongo que me puse a gritar de miedo; me costaba respirar. Esos instantes son quizá los más violentos que he vivido, tan espantosos e inesperados que me dejaron anonadada. En un segundo había desaparecido del mundo exterior y, aunque no terminaba de asimilarlo del todo, por lo rápido que sucedió, estaba aterrorizada por ese desconocido de mirada negra, y por la mano que quería hacerme callar. El ruido del motor, el acento extraño del hombre, la manta apestosa en la que estaba atrapada; fue horrible.

Noté que el conductor se bajaba durante unos diez segundos, dejando la camioneta parada.

–¡Venga, vamos! ¡Coge la bicicleta! ¡No te dejes la bolsa! ¡Arranca!

Mi bici la echaron detrás, a mi lado; la bolsa de natación también.

Todo eso –secuestro, gritos, tiempo de recoger mis cosas– duró menos de un minuto.

Enseguida me mostré agresiva con ese hombre raro; no parecía muy normal, con esa mirada mala, ese pelo grasiento tipo aceite de fritura, y ese bigote ridículo. ¿Mi primera impresión? Me dije: «¿Quién es este tío tan feo y tan bestia? No es de fiar».

Yo seguía forcejeando, gritando de miedo y de rabia, y a él no le gustaba nada.

–¡Cállate de una vez!

En realidad, yo no podía hacer nada. Estaba prisionera de esa manta, tirada en un colchón viejo en medio de la camioneta, veía asomar la cabeza del conductor de espaldas, por encima del respaldo y del reposacabezas. Seguía callado. Con respecto al otro, me pareció bajito. Pensé: «Éste es un mequetrefe, el tipo pequeño que obedece al grande». Joven, de pelo oscuro. Cazadora negra, lamentable gorra con insignia, mala facha. Todo encajaba: el conductor asqueroso, la camioneta cutre, el bestia mugriento. Me preguntaba qué querrían de mí. No se me pasó por la cabeza ni un segundo que se tratara del secuestro de un sádico. Si el tío ese me hubiera esperado a la salida del colegio con un puñado de caramelos, quizás... En esos momentos, lo único que tenía en mente era que esos dos asquerosos querían hacerme daño. Por la manera tan violenta en que me arrancaron de mi bici, estaba claro. Pero qué iban a hacerme, no lo sabía. Era incomprensible.

La primera vez, escupí las pastillas que me metió en la boca, cuatro o cinco... Las escondí debajo del colchón repugnante, luego me hizo respirar algo en un pañuelo, un tipo de éter –en realidad se trataba de Haldol líquido–, y como seguía chillando, me amenazó:

–Como sigas...

Por el gesto y la mirada dura, comprendí que sería capaz de pegarme, así que me dije: «Reflexiona... Si sigues gritando, te va a dar un puñetazo, y va a ser peor. Tienes que calmarte, demostrarle que vas a portarte bien. Si te portas bien, a lo mejor te dice qué es lo que quiere, por qué no te deja ir al colegio». De todas formas, estaba aturdida y creo que debí de adormilarme unos minutos, pero no los suficientes en su opinión.

Esta vez me obligó a tragarme dos pastillas con un poco de Coca-Cola que me echó directamente en la garganta; pero como las cápsulas no bajaban y empecé a tener hipo, le pedí más Coca-Cola.

–No. ¡El otro se la ha bebido toda!

Lo llamaba «el otro» porque no quería decir su nombre. Yo seguía sin entender nada. Llorando de rabia, obstinándome en hacer preguntas.

–¿Quiénes son ustedes? ¿Qué quieren de mí? Quiero volver a mi casa. Mis padres se preguntarán dónde estoy... ¿Qué les van a decir?

Pero no contestaban, y yo no cesaba de hacerles las mismas preguntas, incansablemente. Ya podía seguir llorando, ahogándome de miedo: nada. La camioneta seguía avanzando, sin que pudiera adivinar en qué dirección. Sin embargo, sí que noté, por el ruido de las ruedas, que cogió primero una carretera sin asfaltar y luego la autopista. Así que me hice la dormida, me volví del lado de la carrocería, dejando al «bestia grasiento» a mi derecha, y cerré los ojos para que se creyera que había caído redonda. Intentando escuchar lo que decía. Nada interesante para mí, sólo indicaciones para el conductor: «Es aquí, gira...». Debía de estar dándole al «otro» consejos para salir del barrio; después me pareció que sabían perfectamente por dónde tenían que ir.

Era él, el «grasiento», el que mandaba completamente

sobre el conductor. Intenté ver la carretera o los paneles; vi desfilar algunos pero no me dijeron nada. Estaba muerta de miedo, un miedo mucho peor que el de los exámenes, el miedo verdadero, el que parece que te vas a hacer pipí encima de tanto que te tiembla el cuerpo entero. No sé si se dieron cuenta –además les debía de importar un rábano–, pero tenía la sensación de ser de cristal, de estar petrificada, a punto de romperme en dos pedazos. Me dolía la tripa, tenía un nudo en la garganta, respiraba con dificultad y, por momentos, jadeaba como un perro. Esa horrible manta encima de mí, ese colchón repugnante, el ruido de la camioneta descuajaringada, y esos dos que no hablaban de nada interesante, con su acento raro, sobre todo el mugriento que venía de no sé dónde... Con doce años, no sabes ubicar muy bien los acentos, si vienen de Namur, de Lieja o de más lejos. Si hubiera pronunciado más fuerte las erres, habría dicho que era flamenco. Pero no había indicios de nada en particular. Para mí no eran más que unos tíos raros, unos bestias apestosos, y no dejaba de preguntarme: «¿Quiénes son estos tíos? ¿Adónde me llevan? ¿Por qué?».

No pude concebir ningún plan concreto para escapar de esa camioneta. Sobre todo porque estaba en marcha; salir por una de las ventanas era imposible, estaban muy altas y tapadas por esas espantosas cortinas y pegatinas, sólo podía percibir la luz del día a través del parabrisas. La única solución, si acaso, habría sido la puerta trasera. Pero habría tenido que darme completamente la vuelta, levantarme y romperme la crisma contra la chapa oxidada... De haberme movido, me habría atrapado al vuelo. De todas maneras –y siempre y cuando no me hubiera roto nada– no podría haber ido muy lejos por la carretera, aunque fuera corriendo. Así que no había escapatoria. En un momento dado, me puse la manta sobre la cabeza a propósito, para poder abrir los ojos de vez en cuando sin que se dieran cuenta. Era necesario que se creyeran que estaba completamente comatosa. Pero tenía calor bajo esa manta que me rascaba la cara. Por las mañanas, aquel mes de mayo, todavía hacía fresco, así que para ir al colegio me había puesto una camiseta de manga larga, un jersey y un chubasquero ligeramente forrado por dentro. Estaba sudando de miedo y de angustia por no entender nada.

Estaba paralizada, pero eso no me impedía pensar. ¿Qué podría haber hecho? ¿Pedalear más rápido? ¿Tirarme al suelo antes de que me agarrasen? En esa calle hay un caminito: ¿debí haber tirado la bici, salir corriendo y llamar a cualquier casa? Pero el seto es tan largo... Si no hubiera cogido la bici para ir al colegio... ¿Es culpa mía? ¿Se me ha castigado? ¡Fueron tan rápidos, no tuve tiempo ni de poner los pies en el suelo, me cogieron al vuelo! No vi nada. ¿Acaso la camioneta llevaba ya tiempo detrás de mí? ¿Me iban siguiendo?

El motor se paró. El grasiento creía que estaba dormida, me dijo:

–¡Vas a tener que despertarte! ¡Y te vas a meter en ese baúl cuando yo te diga!

Al ver el tamaño del baúl en cuestión, de acero azul pero todo oxidado, apenas más grande que un cajón de herramientas, recobré mi mal genio.

–¡Yo no quepo ahí dentro!

–¡Te digo que te metas!

–¡No! ¡Es demasiado pequeño!

Suelo tener problemas para respirar, me ahogo con

facilidad. Un problema de bronquios que arrastro desde pequeña. Si ya me sentía agobiada debajo de esa manta, en esa camioneta cerrada y sucia, al ver ese baúl me angustié todavía más. Angustia de asfixiarme de veras, de no poder ver adónde me llevaban.

Así que seguí protestando.

–¡No! ¡Es demasiado pequeño, me voy a asfixiar, está asqueroso, me voy a ensuciar!

Como seguía reticente, llamó «al otro» para que le ayudara.

–Vamos a doblarla para que quepa.

Era menuda, pero no tanto como para eso. Les costó cerrar el baúl. Iba doblada como un acordeón y tuvieron que esperar hasta el último minuto para cerrarlo. No sabía adónde me llevaban, pero tuve la impresión de haber recorrido kilómetros de tan largo como se me hizo el camino. Por lo que pude oír, primero abrieron la puerta de la camioneta y pusieron el baúl en el suelo. Después, un ruido de puerta que se abre, me levantan y me vuelven a posar en el suelo, y por fin, al cabo de dos minutos que se me hicieron eternos, abren la tapa.

–¡Sal de ahí!

Me entró otra vez miedo. Me había hecho a la idea de quedarme en esa caja; ahí al menos estaba sola, protegida, aunque estuviera encerrada. No me moví.

El bestia mugriento estaba solo. Supongo que el chófer de la gorra le había prestado ayuda hasta ahí y luego se había largado. Probablemente a deshacerse de mi pobre bici, que no encontraron jamás. Alguien debió de robarla. Es una tontería, pero se me ocurrió después: esa bici tenía sus huellas, no llevaban guantes cuando la transportaron. Si alguien la hubiese encontrado...

Como estaba literalmente doblada en cuatro, el mugriento tuvo que sacarme de ahí. No hice nada para ayudarle. Seguí haciéndome la adormilada. Incluso lo exageré preguntando con voz tenue:

–Pero ¿qué ocurre?

No sé si actué así conscientemente o no. Ahora me lo pregunto. Fue sin duda por instinto, con la leve intención de que se volvieran menos desconfiados y aprovechar cualquier descuido. No creo haberlo calculado verdaderamente. Con toda probabilidad influyeron los vapores que me hizo respirar, y los dos comprimidos que no pude escupir... Pero estaba lo bastante lúcida como para fijarme en todo lo que me rodeaba. Mi mochila estaba ahí.

Ahora estaba sola, frente a ese tipo sin nombre, en una habitación de la planta baja de una casa sin nombre. Creo que en esos momentos no presté demasiada atención a la decoración, a los muebles. El conjunto me pareció feo. Vi la puerta de entrada, cerrada. Al lado, en la misma pared, una ventana con la persiana bajada a pleno día, y me pregunté por qué.

Lo que puedo describir de esa habitación no lo observé realmente hasta más adelante. Quizás el tercer día...

En un rincón, juguetes infantiles, una cuna. La habitación es cuadrada. A lo largo de la pared, armarios con repisas llenas de cosas variadas. En una esquina una estufa, al fondo un microondas. Una puerta que da, por lo visto, a otra habitación. Por el suelo, ladrillos, sacos de cemento, herramientas. Al parecer, estaba fabricando una chimenea. En medio del batiburrillo del suelo, un estrecho pasaje despejado conduce a una puerta en obras, bloqueada con tablones de madera en cruz cubierta con un plástico. Nunca supe dónde daba. En otra pared, más armarios de cocina blancos, pero vacíos. Había una escalera que conducía al piso de arriba y, justo al lado, una nevera, bastante alta, con un teléfono encima. Inaccesible. Lo localicé casi enseguida. Había también una mesa y unas sillas en esa leonera. No recuerdo si ese primer día ya me fijé en la escalera que conducía al sótano.

Mi primera impresión del lugar en el que acababa de aterrizar me dijo que no estaba en una casa normal donde viviera gente normal.

Tenía sed. Pedí algo de beber. Me dio leche y tomé un poco. Después me encontré en el piso de arriba, en un cuarto con las contraventanas cerradas. No sé si subí yo misma o si me llevó él. Tengo el recuerdo de recibir órdenes, de obedecer lo que me decía.

Me mostró unas literas y me ordenó que me desnudara antes de acostarme, y así lo hice. Había hecho ya tantas preguntas durante el trayecto, reclamado tanto a mis padres, llorado tanto, que no podía más que obedecer. Probablemente seguía trastornada y paralizada por el miedo. Debió de parecerme raro acostarme desnuda bajo una manta, en esa extraña habitación oscura. Me pasó de inmediato una cadena alrededor del cuello y me ató a la escalerilla de la cama con un candado. Colocó un orinal al lado. La cadena me permitía desplazarme un metro aproximadamente, para llegar al orinal.

Preferí quedarme ahí, sin moverme, tapada por la manta, mirando al techo. Una ventana pequeña, bastante alta, dejaba pasar un poco de luz. No recuerdo si me trajo algo de comer, en cualquier caso no comí nada. Quizá me dormí, agotada de tanto llorar. Pero aún me veo diciendo: «¿Por qué estoy aquí? La cadena me hace daño. Me falta aire. No soy un animal».

Las cortinas seguían cerradas. No había ninguna luz encendida en esa habitación. Sin embargo, cuando miré el reloj al llegar, para orientarme en el tiempo, eran las 10.30. Estaba pues a menos de dos horas en coche de mi casa, pero ¿dónde? Lejos, en cualquier caso. En una pared había un póster con un dinosaurio. Había olvidado ese dinosaurio... y sin embargo, qué nerviosa me ponía, hasta el punto de no poder mirarlo siquiera. Estaba atada en una cama de niño, había visto una cuna y juguetes: me encontraba pues en una casa donde había habido niños. Seguí cavilando, sola en la oscuridad, sobre ese extraño entorno. ¿Qué hacía yo ahí? ¿Qué me iba a suceder?

El segundo día vino al cuarto, se puso en cuclillas al lado de la cama y empezó a contarme una historia horrible.

–No te preocupes, yo sólo quiero el bien para ti. Te he salvado la vida. Hay un malvado jefe que te quiere hacer daño, quiere dinero de tus padres...

Y para apoyar sus argumentos, al tercer día hizo venir al «otro», el mequetrefe de la gorra, que asentía con monosílabos. Sólo decía de vez en cuando:

–Sí, es verdad... Sí, eso es...

Y el mugriento del bigote me repetía:

–¿Lo ves? No lo digo yo, él también...

Luego me contó que ese jefe quería hacerme daño porque cuando mi padre había sido gendarme, le hizo algo malo. Ese jefe quería vengarse, pues, de uno de sus hijos, y me había tocado a mí. Reclamaba dinero, un rescate. Un millón, creo, o quizá tres. Como me veo diciendo «¡puff!», debían de ser tres. Además, con doce años, no se tiene mucha idea del dinero. Quizá mis padres habrían podido apañárselas con un millón, pidiendo prestado aquí y allá, pero tres... Incluso vendiendo la casa, el coche y todo lo que poseían, estaba segura de que no podrían.

¿Cómo sabía él que mi padre había sido gendarme antes de cambiar de profesión? ¿Acaso lo revelé yo misma, a modo de defensa infantil: «Cuidado, mi padre ha sido gendarme...»? Es muy posible. En cualquier caso, su historia estaba basada en eso. El «algo malo» del que mi padre era responsable no estaba muy claro en mi cabeza. ¿Había castigado a ese hombre metiéndolo en la cárcel? Sea como fuere, yo estaba prisionera a causa de ello, y mi padre debía pagar un rescate. Eso estuvo claro desde el primer día. Intenté defender a mis padres.

–Pero nunca podrán conseguir tanto dinero, no son millonarios...

Me dio a entender que más les valía apañárselas para conseguirlo, si no... yo moriría.

Me es difícil calcular el tiempo, pero estoy segura de que empezó a abusar de mí ese mismo día. El segundo día –no estaba aún del todo lúcida– me desencadenó y me llevó al cuarto de al lado, el suyo al parecer, con una cama grande. Lo bauticé más tarde como «el cuarto del calvario». Ahí me sometió a los primeros tocamientos.

También sé que me hizo fotos con una Polaroid; no sé si antes o después, pero me di cuenta a la segunda o tercera foto. Era muy raro, no entendía por qué tenía que fotografiarme desnuda en su habitación. Me acuerdo de mi reacción.

–Pero ¿qué hace?

Estuve llorando sin parar, y eso claramente le ponía nervioso. Tenía que haberme gustado...

Después, me llevó a la habitación de las literas, me ató y me dijo que durmiera. Me resultaba difícil entender lo que estaba experimentando ese hombre, pestilente y feo, viejo para mis ojos de niña. Estaba secuestrada a cambio de un rescate. Se suponía que él me había salvado la vida, pero... ¡al mismo tiempo me maltrataba! Hasta entonces no había recibido golpes ni había sido violada, pero lo que me había estado haciendo era tan odioso que procuré por todos los medios no pensar en ello. No reflexionar sobre lo inmundo. Estaba encadenada, con la mirada puesta en la cama de arriba, petrificada de miedo, con una sola idea en la cabeza: ¿y después? ¿Qué me iba a ocurrir después? Ese después me aterraba tanto. Lloraba, dormía un poco, me dolía la cabeza, estaba trastornada, desesperada, sola. Era un horror.

La trampa se estaba cerrando, la manipulación seguía su curso sin que yo sospechara nada. El hombre decía que mis padres se habían negado a pagar el rescate, que incluso la gendarmería se había negado (¿a causa de que mi padre había sido gendarme?). Estaba pues en peligro de muerte, ya que el «jefe» había decidido liquidarme.

Entonces, el monstruo engominado se puso el disfraz de salvador.

–Te cogí por orden del jefe, pero como tus padres no quieren pagar, no puedes quedarte aquí. ¿Quieres vivir o morir?

No garantizo que ésa fuera la frase exacta, en cualquier caso estaba construida de tal manera que me daba a elegir: vivir o morir. Por supuesto, elegí vivir.

–Entonces, te voy a esconder. Le diré que estás muerta, pero vas a seguir viva y me voy a ocupar de ti. Sólo que no te puedo dejar aquí, en esta habitación; el jefe no debe verte. Esto es un cuartel general, puede llegar en cualquier momento. E incluso si intentaras escapar, te atraparían enseguida para matarte. Todas las casas de aquí son del cuartel general. ¡Te voy a enseñar un escondite!

Un cuartel general era una cosa muy importante para mi mentalidad de doce años. ¿Esa gente eran gánsteres? ¿Policías? ¿Militares? ¿Extraterrestres? Pensé en todo tipo de cosas al mismo tiempo. Y la pregunta clave me seguía atormentando: «¿Quién es este tío?». Un cabrón raro que me arranca de la bici, que me somete a cosas malsanas para una niña de mi edad y que no me gusta nada. Por mucho que lo rechace, él sigue... Primero habla de rescate, luego me hace fotos, desnuda. Me ata, me desata.

¿Morir? ¡No podía elegir morir! Debía seguir aguantando día tras día, con la esperanza de seguir viva.

Después de esos tres días, me hizo bajar a su «escondite».

2

EL GUIÓN

Ni siquiera se me ocurrió que pudiera estar secuestrada. La palabra no me venía a la mente. El lavado de cerebro se hizo muy bien, muy rápido, desde el primer día, cuando yo tenía aún la mente nublada por las pastillas y un pánico espantoso. Me lo creí todo.

Ese hombre era «mi salvador». Había conseguido que me creyera un guión diabólico según el cual él me había «liberado a tiempo» de las garras de otro monstruo. Un «jefe» de no sé qué que quería matarme. Para no morir, debía obedecer a este desconocido, hacer todo lo que él quisiera, aceptar que me «tocara» a su antojo. Se empleó a ello enseguida; ahora debía vivir escondida por él y con él. ¿Hasta cuándo?

A veces, en las películas, los malhechores raptan al hijo del policía y le piden un rescate. Y no te lo crees, piensas que eso sólo les pasa a los demás, que no es más que una película. Sin embargo, yo estaba en una película así. Era yo, Sabine, colegiala de Kain, la que estaba atada a una cama, en algún lugar del cuartel general cuyo jefe podía matarme a la menor rebelión o intento de fuga.

Él me decía:

–Has tenido suerte de dar conmigo, porque el jefe no vende muy caro tu pellejo...

¡«Suerte» de haber dado con «él»! Pero ¿quién era él? No decía su nombre, y «el otro» había desaparecido. No volví a ver al mequetrefe de la gorra después de que terminara con su papel.

Un día le pregunté:

–¿Cómo se llama usted?

Me respondió que podía elegir entre Alain y Marc... Instintivamente escogí una apelación más neutra, llamándole sólo de usted. «Devuélvame mi ropa», por ejemplo. Estaba harta de estar desnuda, no quería estar así mientras comía con él en la habitación de abajo. Me horroriza estar desnuda. Tenía frío, no veía por qué tenía que estarlo siempre, así que reclamé con tono firme mi ropa interior y toda la demás. Me devolvió lo primero y mis vaqueros, no sé en qué orden ni qué día, pero sí sé que anduve varias semanas con la misma braga y con nada más.

Sabía que me habían cogido un martes 28 de mayo. Los tres primeros días, antes de bajar al escondite y empezar a recuperarme de las pastillas que me había hecho tragar, no tenía la mente muy despejada, andaba desorientada. Me calentó tanto la cabeza con sus historias del jefe... Sucedieron tantas cosas raras en un solo día... Bajé a comer, me hizo volver a subir al cuarto para hacerme las fotos y «el resto», lo que yo llamaba «su numerito», porque no sabía cómo definir esos tocamientos repugnantes. Me hice tantas preguntas, todo sucedió tan rápido que, cuando miré mi reloj, tuve la impresión de llevar lustros encerrada en esa cochambre de casa, y de no haber entendido nada.

Al tercer día me lleva al escondite. Una escalera que baja al sótano, y, al final de la escalera, veo una estantería saliendo de un muro como por arte de magia. Me quedo alucinada. Encima de las repisas metálicas hay cajas de agua, de cerveza, botellas de todo tipo. Primero saca todo, y luego agarra la repisa de abajo, tira de ella hacia arriba y levanta esa parte del muro. Después, bloquea esa puerta invisible de doscientos kilos con un bloque de cemento, sin dejar más que un minúsculo ángulo para pasar detrás. ¡Cuando esa estantería está en su sitio, no se nota apenas nada! Me lo enseña con cierto orgullo. La primera parte del escondite, detrás de la puerta falsa, está invadida por un montón de cajas de cartón, de papeles, de todo tipo de chatarra que me prohíbe tocar, pero en el que, por supuesto, hurgué más adelante. Hay que deslizarse hacia la izquierda, aunque eso es mucho decir dado el tamaño del lugar, para descubrir otra puerta de reja que estaba siempre abierta. Luego hay una especie de somier de tablas de madera, con un colchón en completo estado de descomposición. Un zulo de noventa y nueve centímetros de ancho por dos metros treinta y cuatro de largo. No lo medí yo misma, lo supe después, pero me bastó una ojeada para pensar que me iba a asfixiar en un lugar tan sucio y tan húmedo.

Había una pequeña repisa de madera en la pared, con dos bombillas, y una especie de tabla en la que no cabía gran cosa, aparte de mis lápices y mis gafas. En la pared del fondo, en la cabecera de la cama –si a eso se le puede llamar cama–, otra repisa arriba, con una televisión vieja que sirve de pantalla de vídeo y una consola de videojuego Sega. En la pared de la derecha, un banco pequeño y una mesita plegables. Si me siento en el banquito, tengo que poner los pies en el colchón. Al final del colchón, en perspectiva, la puerta de reja y la puerta del zulo. A mis pies, el espacio justo para poner mi cartera y el orinal.

La tele funciona con un botón. No hay mando. Un trasto viejo de segunda mano de los que ya no existen, con madera por los lados. Por supuesto, no permite acceder a ningún programa, sólo sirve para jugar.

Tuve la sensación de que ese reducto inmundo acababa de ser acondicionado para mi estancia allí. Sin embargo, estaba ese somier de tablas, esa pantalla... Podía haber supuesto que ya lo había ocupado alguien, pero él precisó que lo había instalado rápidamente para mí. Era todo tan infecto que me lo creí. La parte del zulo que me correspondía había sido pintada de mala manera en amarillo, un amarillo chillón, espantoso, con goteos que indicaban que el que lo había pintado lo había hecho sin el menor esmero. Las paredes eran de cemento; era una antigua cisterna de agua.

Me iba a encerrar en ese horrible zulo. Recuerdo haber dicho, con cara de «no irá en serio...»:

–¡Aquí me voy a quedar sin aire!

Entonces me mostró su «súper» ventilador. Un ventilador pequeño de ordenador, instalado en el techo.

–Con esto, no hay problema; siempre tendrás aire.

La puerta falsa de doscientos kilos se cerró en mis narices. Seguía sin respuesta a todas las preguntas que me hacía. Por qué yo, por qué aquí, por qué mis padres no hacen nada, por qué me hace «su numerito»... Lloré tanto que me costaba respirar. Necesitaba unas pautas, como lavarme, vaciar el orinal, pasar el tiempo, seguir conectada a la realidad. Tenía mi reloj, mi cuaderno escolar, mis deberes de francés, mis libros de texto, mis bolígrafos y mis lápices, unas hojas de clasificador y un estúpido videojuego. Era un hombrecito que tenía que saltar por unas piedras para ganar monedas. Se caía en un champiñón y crecía, se caía en una bola de fuego y tiraba bolas de fuego. Tenía problemas con ese juego cuando jugaba en casa de una amiga. Nunca sobrepasaba el primer nivel; el segundo nivel se desarrollaba en el agua y nunca lo alcancé. Así que no tenía más remedio que volver a hacer cien veces el primero y me sacaba de quicio.

Antes de dejarme en ese sórdido agujero, dijo que iba a traerme algunas provisiones para cuando tuviera que ausentarse. Cajas de leche, bidones con agua del grifo, pan y latas en conserva.

No pensaba que me fuera a quedar en ese cuchitril el resto de mi vida, aún tenía la esperanza de que mis padres hicieran algo, que consiguieran el dinero, ya que ésa era la condición. Aunque no sabía cómo iban a poder reunir esa montaña de billetes. No sabía tampoco que me buscaban como locos por toda Bélgica, puesto que me había dicho que estaban al corriente y que no podían o no querían pagar. Ese monstruo consiguió meterme poco a poco en la cabeza la idea de que estaba poco más o menos que abandonada, bajo su benévola vigilancia, y que, puesto que mis padres estaban al tanto de la situación, ¡la decisión tenían que tomarla ellos! Lenta pero firmemente, pasó del «no podrán pagar» al «no pueden», y después al «se niegan»... Y, por último, la fórmula desesperante: «Tus padres se han resignado. En cualquier caso no han pagado, así que... quizá piensen que estás muerta».

A partir de entonces, mi existencia en ese zulo se desarrolló de la siguiente manera. Para empezar, no tenía ni que gritar ni que hacer ruido. El jefe, o no sé quién, podía entrar en la casa en cualquier momento. La consigna era el silencio. Tenía la consola Sega, la mochila con mis cosas del colegio; debía entretenerme con eso. Cada vez que viniera a buscarme para llevarme arriba, ya fuera para comer, ya fuera por «otra cosa» –y desgraciadamente, así ocurría–, se daría a conocer detrás de la puerta de hormigón, diciendo: «Soy yo». Si no oía su voz, no debía hacer el más mínimo movimiento ni proferir el menor sonido. De ello dependía mi seguridad. Probablemente mi vida, ya que en cuanto yo mostraba mala voluntad, lo cual solía hacer al rechazarle, me lanzaba su amenaza: «¡El jefe te hará cosas peores!».

Peores llegando a la tortura, puesto que el jefe no se serviría sólo de su cuerpo para forzar el mío. El jefe podría matarme... De este modo, la sombra de la muerte se apoderó de mí en ese zulo siniestro y ya no me abandonó. Tenía miedo todo el tiempo, aun cuando estaba sola en el zulo. La muerte me perseguía. Me ponía a cavilar, no tenía otra cosa que hacer. Me decía: «Esta vez se ha ido a buscar a sus amigos y, cuando vuelva, me van a matar». Si le decía que no a algo, temía que me golpeara, o que me matara él mismo. Al cabo de un tiempo, me di cuenta de que no me pegaba, de que sólo me amenazaba, con sus ojos negros, malvados: incluso sin decir nada, comprendía que, con una sola señal suya, el jefe o su banda se harían cargo de mí. Mi resistencia no iba más allá. Me resignaba, pensando que me tenía aquí porque le parecía, pero que si un día se hartaba de mí y de mi mal genio, pasaría enseguida a la mejor solución para él: deshacerse de mí. Esa amenaza me tuvo todo el tiempo atormentada. Cada vez que me quejaba de que mis padres «no hacían nada» para sacarme de ahí, él me contestaba que debía alegrarme por seguir viva. O que el jefe utilizaría instrumentos de tortura, de los cuales no me ahorró ningún detalle. Podía ser cualquier cosa, desde un palo hasta una botella, pasando por los recursos más sádicos.

–¡Es que no te das cuenta! ¡Al jefe le importas un carajo! ¡Si se entera de que sigues viva, te hará cosas que jamás te han pasado aquí!

Pero alguna vez me puse autoritaria, aunque sabía que, de todas formas, no tendría la última palabra. A veces, cuando me obligaba a hacer algo, le decía: «No, eso no...», aun a sabiendas de que, inmediatamente después, tendría que hacerlo. Primero intentaba oponer resistencia, y cuando veía que la cosa se ponía fea, me decía que más me valía hacer lo que él quisiera, por temor a los golpes o al jefe. Por temor a todo en general.

Empecé a llevar un calendario, primero en la agenda del colegio, luego en una hoja suelta a partir del 13 de junio, ya que el curso escolar finalizaba ese día. De modo que sabía que el 13 de junio era un jueves. Estaba en manos de ese monstruo desde el 28 de mayo. Los tres primeros días, arriba; y a partir del viernes 31 de mayo, en el zulo.

Entre el 31 de mayo y el 13 de junio, fecha en la que anoté en mi calendario «carta», mis recuerdos son hoy, ocho años después, bastante borrosos. Me viene a buscar para comer, me lleva al cuarto, me baja otra vez al sótano y vuelta a empezar. Todos los días. Es penoso tener que padecer eso. Todos los días. Ese maldito cuarto, ese calvario, esa televisión en la que ve películas pornográficas de Canal + sin descodificar. Su lenguaje: «¡Mira! ¡Es genial!».

Yo no miraba nada, sólo le contestaba «sí, genial» como a los tontos. Por dentro lo trataba de gilipollas. Esperando a que terminara de «hacer sus ademanes», fórmula personal para traducir lo indecible. A veces, me sentía aliviada por poder bajar al sótano, a veces aliviada por poder salir de él, aunque supiera que me esperaban sus «ademanes». Al menos ya no estaba en ese zulo inmundo, en el que apenas podía moverme entre el orinal y la mochila. Me parecía que respiraba un poco mejor. Lo observaba todo. Había roperos inmensos repletos de prendas de mujer y de niño. Pero cuando le pregunté si estaba casado, respondió que no. Si tenía hijos: no.

Pedí ropa y, con gran generosidad, me dio un pequeño short y una camiseta minúscula. Pedí lavarme, y una nueva desgracia se me vino encima. Una vez por semana solamente, y era él quien me lavaba con jabón. Para lograr un poco de frescor, debía padecer su particular método de higiene íntima.

Me orientaba con respecto al día y a la noche cuando estaba arriba gracias a la luz que se filtraba a través de las cortinas o de la pequeña ventana del tejado. Lo que me daba de comer era asqueroso. Leche, mientras que él bebía Coca-Cola; una especie de platos precocinados que calentaba en el microondas, mientras que él se zampaba en mis narices un filete, e incluso chocolate. Me daba un cuchillo y un tenedor para comer, pero yo apenas probaba nada. Cuántas veces pensé en plantarle el tenedor en un sitio... Cuántas veces observé esa puerta cerrada, a veces hasta estaba la llave puesta en la cerradura. Pero él siempre se ponía en medio: si hubiera intentado huir, me habría atrapado enseguida. Eso sin contar con los peligros de fuera. Me hallaba en el cuartel general del jefe, al que pertenecían también todas las casas de alrededor. No sé si me leyó el pensamiento, en cualquier caso un día decidió que comeríamos en la segunda habitación. Ocurrió alguna vez que alguien llamara a la puerta, rara vez, dos o tres, creo, pero nunca vi a quién abría, ni lo que hacía. Entreabría la puerta y salía, no tardaba mucho tiempo en volver.

–Es alguien de la banda, no te preocupes...

No debía hacerle preguntas y, sobre todo, no debía hacer ruido a causa del famoso jefe. Y, desde que empecé a comer en la segunda habitación, cerraba la puerta que separaba ambas «para que no me vieran».

Un día me enseñó una provisión de medicamentos. Los sacó de una bolsa de plástico y los amontonó por clases. Me dijo que era su pequeña farmacia personal. Se las daba de médico, de inteligente, de sabelotodo. Tuve que admirar su chimenea, de la que estaba tan orgulloso. ¡Resulta que también era arquitecto! Y dibujos, también hechos por él, pero de los que no me acuerdo apenas porque los miré sin ningún interés. Eran unos planos de obra o algo así. No sabía cómo catalogarlo, ni quién era realmente. Afirmaba tener treinta años, pero era mayor; tener siete casas vigiladas por perros, pero no tenía jardín; no estar casado porque el jefe no lo quería y pertenecer a la banda desde hacía mucho tiempo. Me machacaba con sus historias del jefe, y de la misteriosa y peligrosa banda.

Me tenía aterrorizada con ese guión truculento. Pero yo también lo machacaba a él con mis preguntas. «¿Cuándo voy a salir de aquí? ¿Cuándo voy a poder ver a mis padres?» Y con mis exigencias: «¡Quiero una almohada para dormir, quiero un despertador, quiero otra cosa de comer, estoy harta de leche, quiero lavar mis cosas, quiero papel para dibujar! Quiero un cepillo de dientes...» (le sorprendió tanto lo del cepillo de dientes que pensé que no se los debía de lavar muy a menudo...).

Le tenía tan harto que se ponía furioso: «¡Te vas a callar de una vez!». Daba un puñetazo en la mesa y, sólo con ver su mirada, yo comprendía que sería capaz de cualquier cosa. Era muy raro: a veces me hablaba amablemente, otras se enfadaba sin motivo. Si, por ejemplo, me negaba a tomar pan mohoso o leche cortada, montaba en cólera porque lo había comprado y yo lo había dejado pudrirse...

Odiaba su acento, sus aires de sabelotodo, y no entendía nada: un salvador que me maltrataba... era contradictorio. Inconscientemente sabía que la cosa no encajaba, pero no conseguía ordenar las piezas de ese puzle demasiado complicado para mi edad.

Por ejemplo, ¿por qué no me dejaba llamar por teléfono a mis padres? ¿Por qué me contaba que utilizaba a un emisario para comunicarse con ellos? ¡Es que ese teléfono de encima de la nevera era un aparato privado conectado al jefe! Un jefe que era más rico que un ministro y que tenía hijos. Tenía que meterme en la cabeza que ahí todo le pertenecía.

Si intentaba llamar, descolgaría él, u otro que entonces sabría que seguía viva. Pensé en marcar el número de la policía, pedir socorro, pero como la línea estaba reservada al jefe, el número de la policía seguramente no funcionaba... Además, era demasiado pequeña para alcanzarlo. Ese teléfono se había convertido en una obsesión, igual que la llave de la puerta. Y que el tenedor.

Mi única defensa era abrumarle con reclamaciones, porque yo, cuando quiero algo, no descanso hasta conseguirlo. Y pedía las cosas en un tono que no admitía un no por respuesta.

Me hacía la valiente llamándole gilipollas para mis adentros.

El aburrimiento y la soledad empezaron a atormentarme. Había conseguido una radio despertador y podía escuchar música, pero no había emisoras de informativos. Lo toqueteé por todas partes, con la esperanza de tener noticias de fuera; fue en vano. Mi colchón de espuma se estaba descomponiendo, había bichitos por todas partes.

A veces me entraban ganas de atravesar el muro. Me ponía a balancear el mando de la consola y miraba la hora como una posesa. Hasta me puse a hacer una lista. Cada cifra de los minutos me recordaba alguna cosa: 13.23, 23 es el número de mi casa; 29, el de Bonne Maman[1]; 17 es el cumpleaños de mamá; 22, el de mi padre, 1 hora... No sé por qué miro... Me obsesionaban los minutos, les asociaba todo lo que me venía a la cabeza, hasta los números del calzado. Me aferraba a lo que podía.

Al no poder hablar más que conmigo misma, me daba ánimos en voz alta: «Bueno, voy a beber un vaso de agua... Voy a hacer los deberes de neerlandés... Voy a coger el cuaderno y hacer "esto"...». «Esto» era un ejercicio de matemáticas, de francés, de latín o de ciencias. Miraba el carné de notas que tenía que haber devuelto; estaba firmado. Las de matemáticas eran catastróficas,

1. Uno de los apelativos franceses de abuela. *(N. de la T.)*

como siempre. Si «curraba» en serio, podría pasar de curso, por lo demás estaba en la media. De todas formas, todo el mundo iba a pasar de curso a final de año. Era una ley nueva. No hacía falta que me esforzara demasiado en matemáticas... Intentaba comprender sola los ejercicios; no lo conseguía. Pero me entretenía.

De hecho, no estudiaba de veras. De mi libro de neerlandés –de vocabulario y conjugación–, copiaba las traducciones y las concordancias de los verbos, sin intentar comprender. Copiaba como una autómata. También copié citas de francés. Copiar, copiar; rellené hojas y más hojas de mi clasificador. Y «a él» le pedía papel para dibujar: ni hablar de gastar las hojas buenas que me quedaban...

Por supuesto, lo echaba todo de menos. En mi casa, la comida era buena, tenía mi cama, el almohadón que Bonne Maman me había hecho para dormir y del que no me separaba jamás. Sábanas limpias, ropa, todas mis cosas. Tenía a *Sam*, mi perro, a *Tifi*, mi canario, mi cabaña del jardín, mis amigas, que debían de estar preguntándose qué había sido de mí. ¿Qué explicación habrían dado mis padres en el colegio acerca de mi desaparición?

No recuerdo si fui yo la que pedí escribir a mis padres o si lo sugirió él, harto de tanta queja; el caso es que el 13 de junio empecé a redactar mi primera carta. Quería que mis padres se enteraran de mi situación.

Desgraciadamente, esta primera carta no apareció, aunque él conservó, sin que yo lo supiera, claro, las tres últimas, que fueron encontradas.

El viernes 21 de junio me dijo: «Me marcho a cumplir con una misión». Las «misiones» no eran asunto mío, evidentemente. Me había contado que el «jefe» le enviaba a veces incluso a los países del Este.

Eso suponía, pues, no tener que «subir al cuarto», pero también tener que quedarme encerrada en ese zulo, con la angustia de la soledad. No soportaba quedarme a oscuras; dejaba la lámpara grande encendida día y noche, procurando no desorientarme en el tiempo. Pero a veces dormía de día, o no dormía nada de noche, sin quitarle ojo al despertador. No probé casi ninguna de las provisiones adicionales que tan generosamente me trajo. Latas que tenía que tomar frías y «bebiéndome el líquido», como él mandaba. Y pan con moho. Me alimentaba de Nic-Nac, unas galletitas con forma de letras. Era casi lo único que comía.

Fue quizás en ese período cuando desmonté la radio despertador con la esperanza de poder sintonizar algún informativo, noticias del mundo exterior, lo que fuera con tal de conectarme con mi vida de antes. No se me pasó en absoluto por la cabeza que pudieran hablar de mí. Yo no estaba desaparecida, no me estaban buscando, no pertenecía a la lista de niñas buscadas en Bélgica. Sin embargo... Había visto una vez, en casa de una amiga, un cartel con las fotos de Julie y Melissa, dos niñas de ocho años desaparecidas el 24 de junio de 1995, ¡y de las cuales nadie sabía nada desde hacía ahora un año! Lo había visto, eso es todo. No lo relacioné en absoluto con mi caso. Y sin embargo... Esa horrible pintura amarilla ocultaba seguramente las huellas de su presencia aquí antes de la mía. No tenía ni idea del ajetreo exterior, de la desesperación de mis padres, de las búsquedas, de los carteles en los que ya se me señalaba como «desaparecida», al igual que las otras niñas, y donde figuraba mi descripción, mi estatura, mis ojos azules, mi pelo rubio, mi complexión e incluso la foto de una bici idéntica a la mía, con la pequeña bolsa roja de piscina atada detrás. Me buscaban desde el principio. No estaba al corriente de las batidas, los perros, los rastreos a orillas del río, de todo el despliegue que organizaron mis padres, con todo su empeño y obstinación, para encontrarme.

El 26 de junio volvió. Yo llevaba ya treinta días allí. Su retorno implicaba la vuelta al ritual del cuarto del calvario. Ahí arriba, en esa cama, me ataba con una cadena, que unía su tobillo al mío. A veces, tenía que quedarme a «dormir» a su lado toda la noche en esa maldita habitación. No me atrevía a dormirme. Tenía miedo de que se despertara y siguiera con esas «cosas» estando yo dormida y no poder siquiera decir «no, no quiero». Estaba atenta al menor movimiento; la cadena me arañaba el tobillo cada vez que tiraba de ella al darse la vuelta. A veces se equivocaba de tobillo, el muy imbécil, atando pie derecho con pie derecho. Ya no podía moverme para alejarme de él al máximo. La noche se me hacía eterna. Miraba al techo, la tele, si había dejado puesto algún programa decente, a modo de recompensa. Aunque cerrara los ojos de vez en cuando o consiguiera encontrar una postura más o menos cómoda, seguía obsesionada con la idea de quedarme profundamente dormida. «Si te hace algo, al menos podrás intentar resistirte.» Era la única dignidad que me quedaba: mostrar mi repulsa, decir que no, rechazarlo hasta que me amenazara y no pudiera seguir luchando.

Para mantenerme despierta, me imaginaba a mi madre volviendo del trabajo, a mis hermanas viendo la televisión, quizá las mismas imágenes que yo; pensaba en *Sam*, en *Tifi*, en mi jardín, en las semillas que había plantado, en la tarta de manzana de mi madrina, en el cojín de Bonne Maman y también en cómo hacer para no morirme de asco en el zulo y para volver tarumba al cabrón que dormía a mi lado.

«Si tuviera un arma, un cuchillo para matarlo, si pudiera tirarle algo a la cara, uno de los ladrillos de la planta baja... Un ladrillo no le haría gran cosa, soy demasiado pequeña.»

Así que hacía lo que podía. A veces, tiraba yo misma de la cadena, para fastidiarle, protestando para que añadiera un eslabón más, me quejaba de todo, reclamaba a mis padres incansablemente, quería llamarles por teléfono, escribirles, ¡le exigí incluso poder ver las noticias! Me esforzaba por hacerle la vida imposible mareándole con preguntas, reproches y llantos, y creo que algo conseguí con tan pobres recursos.

Las noticias no, por supuesto. El teléfono, tampoco. Algún día tuvo la generosidad de añadir un eslabón más a la cadena del tobillo. No bastaba para aliviar las molestias, y menos aún para escaparme. Me defendía como podía, tratándole interiormente de «gilipollas». ¡Un insulto de patio de colegio! Alguna de las veces que me insistió para que hiciera algo que no quería, llegué incluso a enardecerme, insultándole en voz alta; me aliviaba bastante.

–¡Usted es un gilipollas, a mí eso no me gusta, déjeme en paz! ¡Váyase a la mierda!

Necesitaba soltar esas palabras groseras para desahogarme. Pero él no tenía en cuenta mis insultos. Le traían completamente al fresco, aunque a veces se cabreaba y hacía lo que le daba la gana.

De modo que me guardaba de insultarle demasiado a menudo; me decía a mí misma: «No vayas demasiado lejos; te puede caer una buena».

Pero durante las comidas, sentada enfrente de él, me volvían a entrar ganas de clavarle el tenedor en algún sitio o de tirarle la sartén en la cara, porque mientras que él se tomaba un filete, yo tenía que conformarme con una especie de albóndigas infectas. O me decía que le trajera la taza de café que se estaba calentando en el microondas, pero a mí no me daba café. ¡Que moviera el culo para buscarlo!

«¡No soy una chacha! ¡El microondas está a tres metros!»

Estaba aterrada, enferma de soledad, de vergüenza y de mugre, me sofocaba, lloraba tanto que terminaba con dolor de cabeza y con los ojos rojos durante horas.

Pero ¡quería plantarle cara, mostrarle mi repugnancia!

Yo ignoraba todo lo referente a lo que él llamaba «sexo», ignoraba también que existieran semejantes obsesos; nadie me había informado de esas cosas. Ni siquiera tenía la regla. Ni siquiera tenía un amigo, ni el recuerdo de un beso robado.

Pero me daba perfectamente cuenta de que su comportamiento no era nada «normal». Era viejo, yo tenía doce años, y se pasaba el tiempo amargándome la vida con sus manías raras; ¿quién era ese tío? ¿Solamente un «gilipollas»?

Era muy ingenua, porque lo peor no había llegado aún.

3

AGUANTAR

El «señor que me cuida» leía *Science et Vie*[1]. Mi padre compraba a veces esa revista, y me había gustado mucho el número que hablaba de los planetas; me encanta el espacio. Le pedí leerla y me contestó: «Ven, tengo un montón en el desván».

Cogí todas las que pude de cuantas quiso darme, con tal de no aburrirme al cabo de dos días y para cambiar de la eterna consola de videojuegos que me ponía los nervios de punta. Había veces que me pasaba en el zulo veinticuatro horas seguidas sin dormir; otras dormía doce horas de un tirón; pero cuando el estrés era demasiado fuerte y no sabía qué hacer, era horrible. Tenía necesidad absoluta de hacer algo, de organizarme, de distraerme con lo que fuera para no volverme loca.

Fue entonces, en esa revista, cuando descubrí el cupón de suscripción a nombre de Michèle Martin, route de Philippeville, 128, en Marcinelle.

En otro ejemplar vi que habían escrito «celda 154».

Unos días después me puse a observarle mientras abría el correo en la mesa. Estaba mal situada, sólo podía ver las cartas del revés, así que me puse a hacer el

1. *Ciencia y Vida.*

tonto para poder leer la dirección. El código postal que había visto en el cupón era fácil: 6001, el mismo que el del sobre. Y el número de la calle: 128...

Procuré concentrarme sólo en el nombre, porque movía mucho los sobres y me costaba seguirlos con la mirada. Pero alcancé a leer «Marc» sin llegar a ver el apellido, pero sí la misma dirección de Marcinelle.

Cuando le había preguntado cómo se llamaba, él había contestado:

–Escoge: Marc o Alain...

–Prefiero Alain.

Era el nombre del peluquero tan simpático al que íbamos, preferible a Marc. Ese nombre me recordaba a un niño estúpido de mi bloque. Pero nunca pude llamarle Alain. Para mí, él era «usted», sin más.

Me hallaba pues en el 128, route de Philippeville, en Marcinelle, y ese cabrón se llamaba Marc Dutroux. Le pregunté si había estado en la cárcel, ya que había visto un número de celda en una revista. Me dijo que sí.

–¿Mucho tiempo?

–Sí. Demasiado tiempo. Ahora hago cosas prohibidas por la ley para vengarme de los polis y de los jueces, pero ya no volverán a cogerme...

Marcinelle no me sonaba de nada, no sabía dónde estaba. Si hubiese visto Charleroi, habría sabido situarme mejor. Al menos estaba segura de que me hallaba en Bélgica.

Respecto al código postal, el de mi domicilio es el 7540, así que no debía de encontrarme a cientos de kilómetros de mi casa. Si tenía en cuenta la hora de mi secuestro y la de mi llegada...

7.25, digamos 7.30: me arranca de la bici.

10.30: miro mi reloj cuando me ata a la cama. Debí de llegar a esa casa alrededor de las 9.30... luego había dos horas de trayecto...

Fue entonces cuando me entró la obsesión del teléfono.

Lo localicé casi enseguida. Cada vez que subía a la planta baja para comer con él, lo veía ahí plantado encima del frigorífico, a mi izquierda. Y siempre le hacía preguntas al respecto:

–¿Funciona ese teléfono?

–No puedes llamar, es una central del cuartel general.

–Pero si pudiera sólo llamar a mis padres cinco minutos...

–No, tus padres están bajo escucha y el jefe lo sabrá; te matará.

–Ellos no dirán nada, yo no diré dónde estoy, ni con quién, ni nada de nada; sólo quiero saber si están bien...

–¡No!

La vez siguiente volvía a empezar:

–Sólo dos minutos, ni cinco siquiera... sólo dos minutos!

–¡No! El jefe o alguien de la banda se va a enterar de que no estás muerta o de que no te han mandado a la red de prostitución, y se puede montar una buena.

Cuanto más tiempo pasaba y más me decía él que no, siempre que no, más obsesionada estaba yo por llamar a mis padres. Ese teléfono estaba conectado a la central del jefe que quería matarme, y yo me había tragado esa historia. La primera vez exclamé «¡oh!», como diciendo: «En ese caso, no llamo; me da demasiado miedo». Y, efectivamente, tenía miedo.

Pero me fastidiaba tener que renunciar a ello, me ponía nerviosa tener que soportar todos los días la visión de ese aparato mofándose de mí. Y sobre todo verlo a él llamando. Un día le oí decir «Miche» y dar besitos al aparato...

–¿Era una mujer? Le he visto dar besitos...

–¡No! No tengo mujer. ¡Y no es asunto tuyo!

Algunas veces le oí decir «Michel», sin llegar a saber si se trataba de un hombre o de una mujer. Mucho más adelante, después de la investigación, supe que había al menos tres «Michel» en su entorno. Michèle, su mujer, Michel, el mequetrefe de la gorra, y otro Michel, cómplice de tráfico de coches y estafas varias.

Cuando se daba cuenta de que le estaba observando hablar por teléfono, se escondía detrás del frigorífico para que no le oyera bien, o tapaba el auricular con la mano y me ordenaba:

–¡No escuches, sigue comiendo!

No me dejaba mucho tiempo para comer. A veces me hacía subir y a la media hora me volvía a bajar al zulo. Otras veces, cuando le apetecía «hacer sus ademanes», me llevaba al piso de arriba y allí me tenía al menos tres horas...

Una vez, a pesar de todo, intenté llamar por teléfono. Él estaba ocupado en el piso de arriba haciendo no sé qué; de todas formas prefería no saberlo. Me acerqué a la nevera, pero cuando intentaba buscar la manera de alcanzar ese maldito teléfono, él bajó. Hice como que me disponía a subir yo también, no se coscó de nada, pero me libré por los pelos. Ahora mi teléfono móvil es mi mejor amigo, guardo todos los mensajes y nunca me separo de él. Cuando me acuerdo de ese teléfono sobre ese pedestal demasiado alto para mí, me entra mucha rabia.

Ese monstruo estaba muy seguro de sí mismo y del miedo que me había metido en el cuerpo con sus historias de jefe malvado. Ese teléfono estaba conectado a una línea exterior como cualquier otro. Habría podido hablar con mis padres; habrían sabido que seguía viva, esperando a que me sacaran de ahí. Eso era lo único que tenía pensado hacer, ni siquiera habría llamado a la gendarmería: la amenaza de muerte pesaba también sobre mis padres, me lo había dejado bien claro. Y, de haber oído una voz rara de «alguien de la banda», habría colgado enseguida. Fue muy arriesgado, pero necesitaba hablar con mis padres. Estaba convencida de que no podría escapar de él, y de que cualquier intento de fuga pondría en peligro a toda la familia. Pero no tenía noticias de ellos, quitando las que él me daba, y era muy frustrante.

Recuerdo bien lo que les conté en esa primera carta. En líneas generales, que me sentía castigada por estar ahí y que no quería quedarme. Les preguntaba muchas cosas de mi casa, si pensaban que iban a poder pagar el rescate (seguía teniendo esperanzas, a pesar de todo). Les hablé de los «ademanes» del «señor que me cuidaba» y les pedía también detalles, los horarios de trabajo de mi madre, por ejemplo. Necesitaba anotar referencias del exterior en mi calendario. Los días en que íbamos a comer a casa de mi abuela, mi Bonne Maman, el cumpleaños de *Sam*, mi perro, los días de permiso de mamá. Marcaba con una cruz cada día que pasaba, para no perder la cabeza en ese zulo infecto.

Y, obviamente, sólo obtuve respuesta a mi carta a través de él. Resumo: «Mira, tus padres han recibido tu carta; un amigo mío se la dio a tu madre. Ella ha dicho que tienes que comer bien, que no te lavabas muy bien, y también que tenía que gustarte el sexo. Y que, como no pueden pagar, tienes que quedarte aquí. Se han resignado a ello. Y tú deberías hacer lo mismo. Ahora, vas a empezar una nueva vida, vas a ser "mi mujer"»...

Seguramente se me olvida parte de todo lo que se inventó para que se me metiera en la cabeza que estaba abandonada entre sus garras de monstruo y que, en resumidas cuentas, mis padres habían dado su aprobación. Otro día, mucho después, me contó que mis padres habían empaquetado todas mis cosas. Lo cual quería decir: «Ya no existes, para ellos estás muerta, no los volverás a ver jamás. Y les trae al fresco». Era de una crueldad sin nombre. Me imaginaba todas mis cosas metidas en cajas de cartón; me mudaban al olvido. Dejaba de existir.

Al principio aparenté aceptar «la nueva vida», pero sin dejar de pensar: «¡No es posible que a mis padres les dé igual! Un día de éstos vendrán con los tres millones y me liberarán. ¡Les he contado lo que me hacía, no es culpa mía si estoy encerrada en este sótano!».

Por mucho que él me dijera que me habían abandonado, que para ellos estaba muerta, yo seguía esperanzada día tras día. Aguantaba, tenía que aguantar, no tenía elección. Cada día que pasaba había ganado un día de vida.

La manipulación de ese cabrón me impedía razonar con lógica. Me habían abandonado, punto. Pero aun así seguía queriendo escribirles, explicarles que por ahora soportaba mi cautiverio, sin acusarles. Ignoraba qué es lo que habían hecho mal para que se me castigara, no quería culpabilizarles porque yo misma ya me sentía culpable. Primero por haberme dejado atrapar, después por estar padeciendo a ese horrible ser. Pero, en el fondo, no confiaba en ellos. La última, la pequeña, siempre tiene la sensación de ser un estorbo, de no estar nunca en su sitio. De hacer siempre las cosas peor que los demás. De modo que la idea de abandono podía abrirse fácilmente camino. No obstante, seguía empeñada en sobrevivir, en escribir, en reclamar de algún modo ese cariño que tanto había echado en falta. Y me culpaba a mí misma por no haber sabido escuchar, por no haber sido demasiado atenta con los demás, por no haber barrido la casa, por haber sido demasiado independiente, por tener mal carácter... No había sido demasiado «buena», así que se me había castigado. A veces me rebelaba, pensando que ellos no estaban haciendo gran cosa por sacarme de ahí. Y, al mismo tiempo, seguía con la esperanza, esas primeras semanas, de que mis padres iban a remover toda Bélgica para encontrarme. Pero al cabo de un mes me dije: «Ya está, han dejado de buscarme», y luego: «O es que me están buscando y yo no estoy al corriente»; después: «Se creen que estoy muerta». Estaba hecha un lío. No sabía qué pensar de ellos, ni de mí ni de ese tío, estaba completamente perdida.

Un día que se ausentó, estuve hurgando en el montón de trastos que entorpecía el acceso a mi reducto, esperando encontrar algo con lo que poder distraerme. Eran cosas viejas, inservibles: una carcasa de ordenador, cajas de cartón. No hallé nada interesante.

Entonces se me ocurrió escribirles. Lo había aceptado (no le importaba, claro, puesto que se guardaba las cartas). Creo haber escrito cinco o seis; los inspectores sólo encontraron tres. Debajo de su alfombrilla. Me pregunto qué pensaba hacer con ellas, ¿un álbum quizás? ¿O regodearse con mi desdicha?

Según mi calendario, la segunda carta la escribí el 9 de julio. Ésa también ha desaparecido. Ignoro lo que hizo con ella, en cualquier caso la leyó, y fue el único. Seguía esperando una respuesta de mis padres, una liberación, y en mi cabeza la confusión era total respecto al «algo malo» que mi padre le había hecho al supuesto «jefe». A veces, el que yo llamaba en mis cartas «el señor que me cuida» hacía alusión a un problema de dinero entre mi padre y ese jefe. Otras, afirmaba: «Tu padre le ha hecho algo malo al jefe». Mis preguntas eran incesantes, mis lloros daban casi siempre lugar a amenazas, y el diálogo era imposible. «¡Cállate!» «¡Deja de llorar!»

Me trajo «noticias». No podía sospechar que se había basado sencillamente en las preguntas infantiles de mi carta para inventarse lo que mi madre había supuestamente transmitido al «intermediario» encargado de entregarle mis cartas «en mano».

Yo les había descrito como había podido las cosas que él me hacía padecer, y mi madre había contestado que debía ser buena con él y aceptar todo aquello de lo que me quejaba porque, si le hacía enfadar, me entregaría a otra persona que me iba a torturar. Con doce años, era complicado entender semejante cosa. ¿Cómo podía «gustarme» lo que me hacía? ¿Cómo aceptarlo cuando, instintivamente, no podía sino rechazarlo? Me transmitió también la idea de que mis padres me estaban abandonando, «se resignaban a no verme más». En resumidas cuentas, estaba pagando por un «error de mi padre» y mi familia había aceptado este intercambio, en vez de pagar los tres millones. Ese terrible lavado de cerebro duraba desde hacía más de un mes. Y funcionó hasta el final.

Me volví cada día más observadora, tratando de averiguar en qué lugar me encontraba exactamente.

En el cuarto del calvario, intenté mirar a través de la cortina de la ventana. Descubrí un ferrocarril, y lo poco que se veía alrededor no era muy bonito.

Seguía obsesionada por las llaves de la puerta de la primera habitación, sobre todo cuando las dejaba puestas. Esa necesidad de abrir para ver, para saber... es muy irritante estar encerrado en un sitio sin ninguna referencia exterior. ¿Dónde estaban las casas de la banda? ¿En los alrededores? ¿Adónde iban esos trenes? ¿De dónde venían?

Un día me enseñó un arma, seguramente para impresionarme o para convencerme de que podía protegerme debidamente. La sacó de un cesto de ropa escondido a tres metros de altura, encima de los armarios de la cocina, en la planta baja de la casa, frente a la puerta de entrada. En cualquier caso, él no tenía nada que temer: yo jamás podría alcanzarla. Mi padre había sido gendarme, así que algo sí que sabía de esas cosas.

–¿Para qué sirve esa pistola?

–Es que a veces llama a la puerta gente muy rara.

Se refería a «alguien de la banda» cuya silueta y cara no vi jamás. Si cuando llamaban me encontraba en la segunda habitación, entonces cerraba con cuidado la puerta que comunicaba con la primera antes de ir a abrir la de la entrada, y como las contraventanas de mi lado estaban cerradas, yo no podía oír ni ver nada. Tampoco lo intentaba: la consigna era quedarme quieta y callada.

Todo lo que viniera de fuera, y por ende de ese cuartel general tan raro para mí, representaba un peligro mortal. Me dije: «Bueno, tiene un arma para protegerme». Era una pieza más de su guión.

En el sótano tenía auténtica claustrofobia. Ese amarillo espantoso de las paredes me ponía enferma, la espuma del colchón se estaba descomponiendo, pasaba demasiado frío o demasiado calor en ese zulo húmedo, y tenía dolor de muelas. Me quejé de ello una vez, una sola vez, porque me contestó:

–Si te duele, te la arrancaré...

Llevaba dos años de retraso en el asunto de las muelas. Me quedaban todavía algunas muelas de leche; me habían arrancado varias pero quedaban cuatro. Y las nuevas estaban creciendo y no tenían sitio. Sufría horrores y, como el pan era asqueroso y las latas repugnantes, me alimentaba a base de Nic-Nac, unas galletas duras que me reventaban las encías. Tuve que llorarle para conseguir un cepillo de dientes, pero sólo podía utilizarlo cuando estaba arriba. Así que cuando él se iba a «una misión», me quedaba sin poder cepillarme los dientes. Y sin poder lavarme las bragas: sólo podía lavarlas arriba, en el cuarto de baño. Si utilizaba el bidón para al menos enjuagarlas, me quedaba sin agua para beber. Lo mismo que para lavarme la cara: no tenía nada, ni manopla, ni jabón ni toalla. A veces, echaba un poco de agua en la taza para aclararme la cara y me secaba con la sábana que cubría el colchón piojoso, pero me sentía cada vez más sucia. Y cuando él me lavaba en el cuarto de baño del piso de arriba, me frotaba tan fuerte que se me levantaba la piel; salía roja como un tomate.

Me acordaba de la bañera de mi casa, del jabón que olía tan bien, de la toalla esponjosa y limpia... Me preguntaba qué pensarían mis padres si me vieran en ese estado y si supieran lo que sufría cuando me sometía a esas brutales y abyectas friegas que no me hacían sentirme más limpia.

Lo peor de todo, cuando el maníaco ese se marchaba varios días, era el orinal. Un horror. No podía vaciarlo hasta que él volvía. Y si se largaba durante seis días, lo tenía a mi lado durante seis días. Y sólo podía cabrearme por dentro, aunque me daban ganas de aporrear las paredes. En su ausencia, más que nunca, el silencio era de rigor. Por si «alguien de la banda», quizás el jefe mismo, entraba en la casa. «¡Podría oírte!»

En realidad tendría que haber gritado muy fuerte para que se pudiera oír algo. La puerta de la escalera que conducía al sótano estaba siempre cerrada. Pero esa consigna de silencio funcionó desgraciadamente hasta el final, de tan aterrada como estaba. Igual que las chicas que me precedieron, imagino.

Un día, no recuerdo cuándo, para pasar el tiempo y olvidarme de que vendría a buscarme por la noche para hacer sus «ademanes», decidí ponerme a hurgar de nuevo en la pila de cachivaches, precisamente porque me lo había prohibido. Estaba harta de copiar frases, harta de ese estúpido juego, harta de todo y sobre todo de él. Tenía ganas de portarme mal: «Conque no quieres que fisgue en tus cosas, ¡pues voy a meter las narices hasta el fondo!».

A pesar de todo, rebusqué con cuidado, para que no

notara nada. Había trozos de ordenadores. Muchas cajas de cartón que no toqué porque estaban en el fondo del cuchitril, apiladas casi hasta el techo. Si cogía una, las demás se me iban a caer encima. No podía casi moverme en esa parte del fondo porque me estorbaba la barra que sujetaba los rieles de la puerta de doscientos kilos. Pero más cerca vi unas cajas de zapatos llenas de papeles. No emprendí un registro minucioso; temía que llegara por sorpresa. Encontré un carné del que no sospeché que guardara relación con mi secuestro. Llevaba el nombre de Michèle Martin. Su mujer, la madre de dos de sus hijos y, sobre todo, su cómplice... Evidentemente, en ese momento, no me llamó la atención.

Pero encontré también tres fotos de niñas desnudas, de mala calidad y tomadas en contrapicado. Me reconocí enseguida.

«¡Soy yo!»

Sí, era yo, en el cuarto. Con la cara marcada por la angustia, los ojos hinchados de llorar, el cuerpo lleno de placas rojas. El primer día, o el segundo, ya no sé, todavía bajo los efectos de las pastillas.

Me dieron ganas de romperlas, pero me dije que si venía a buscarlas y no las encontraba, correría un gran peligro. No tuve más remedio que esconderlas en otro sitio, con la esperanza de que ahí se quedaran hasta que un día surgiera la ocasión de destruirlas, si salía de ese infierno. Fue penoso volver a verme así, irreconocible.

En esa caja de zapatos también había papeles, llaves, llaveros. Ninguna foto más. Las llaves no me servían para nada en el zulo. Y la de la puerta de entrada sabía cómo era, la miraba a menudo de lejos.

Me dije que ahí no había más que trastos que no me

eran de ninguna ayuda para mejorar mi vida en ese cuchitril. Fue al incorporarme cuando descubrí una extraña cajita, escondida en el riel que servía para levantar la puerta del zulo. Los rieles formaban una U, y la caja estaba colocada ahí. Conseguí atraparla. Estaba nueva, aunque llena de mugre, y repleta de balas de pistola. Al parecer no faltaba ninguna. Pensé que correspondían al arma que me había enseñado arriba. Volví a poner la caja en su sitio, convencida de que, mientras las balas siguieran ahí, no podría utilizar el arma. Era una idea estúpida: seguramente tenía más balas arriba.

Mucho después me enteré de que en uno de los registros encontraron una segunda arma en ese trastero. Si la hubiera descubierto yo misma, si la caja de balas le hubiera correspondido, ¿habría tenido el valor de hacerlo: ¡Pum!, y se acabó?

Lo puse todo en su sitio antes de que volviera. Y volvió, con su voz rara y su acento que me ponía tan nerviosa:

–Soy yo...

El ritual de siempre antes de quitar todo lo que estaba encima de las repisas y de levantar la pesada puerta para dejarme salir.

Ahí arriba, en el cuarto del calvario, oía pasar el tren; era horrible. Cuando dormía en casa de mi abuela, también oía el ferrocarril; me molestaba un poco porque cuando era más pequeña me costaba dormirme, pero tenía el cojín mullidito de Bonne Maman: me lo ponía encima de la cabeza y se me pasaba. Aquí era peor; tenía la sensación de que todos los trenes circulaban por el mismísimo tejado de la casa, y pasaban muchos. No los contaba. No los podía ver por la ventana pero, de oídas, diría que pasaban al menos diez o quince al día; era insoportable. Los oía menos cuando estaba en el zulo: el hormigón amortiguaba el estruendo. Pero allí arriba... era horrible. Quizá sea por eso por lo que odio el tren; sin embargo no lo asocio con ese cuarto, o quizá sí, de manera inconsciente. Incluso de lejos, soy capaz de identificar de oído un tren que pasa. Desgraciadamente, ahora tengo que cogerlo todos los días para trabajar, mañana y tarde, entre Tournai y Bruselas, y odio esas idas y venidas. Espero no morirme un día en un accidente de tren, porque, en mi último suspiro, me quejaré de que volvió a matarme un tren.

Me dediqué a observar todo lo que podía, desde el principio. Me sumergía en mis libros de texto, escribía, dibujaba, pero temía agotar demasiado rápido mis lecturas. También escuchaba música, pero me recordaba a mi vida de antes y me ponía a llorar. Por momentos, no hacía nada de nada; le daba vueltas y más vueltas a esa eterna contradicción: «Pretende ser mi salvador, pero me hace daño». Y me volvía loca yo sola en ese zulo minúsculo; era un verdadero horror, no podía siquiera mirarme en un espejo y hablar conmigo misma. Me asustaba perder la referencia temporal. Si al subir veía la luz del día, al bajar al escondrijo verificaba de inmediato la hora nocturna.

Si no venía a buscarme, añadía de antemano una cruz en mi calendario; la cruz significaba que había transcurrido un día. Cambiaba el orinal de sitio, me instalaba en cuclillas encima del colchón para escribir; la mísera tabla que colgaba de la pared no me servía de escritorio.

Cambiaba de postura, me movía sin parar, las paredes seguían ahí. Procuraba aferrarme a las «cosas buenas», si pueden llamarse así. Cuando terminaba de hacer sus «ademanes» conmigo y me dejaba en paz, me dejaba ver la televisión durante dos horas, y yo me ponía muy contenta aunque él siguiera a mi lado, ese cobarde, aunque el programa que hubiera escogido fuera malísimo: por lo menos veía imágenes que me unían con el exterior. A veces me daba un postre lácteo o tres caramelos, y aunque lo hubiera pagado por adelantado con una guarrada obligatoria, y no me sea nada grato admitirlo, ese postre lo devoraba con deleite, porque no solía comer nada rico. «Zapeaba» el sucio momento anterior diciéndome: «¡Venga! ¡Tómate el postre, cómete los caramelos, mira la tele!».

Tenía esa capacidad de darme ánimos, sin embargo el menor cambio me sacaba de mis casillas. El que se pusiera un día a la izquierda de la mesa en vez de a la derecha me perturbaba más allá de toda lógica.

El día que decidió que comeríamos rápidamente en la segunda habitación, me quedé muy preocupada.

–¿Por qué? ¿Qué ocurre?

A él le daba igual, claro, él tenía su vida, sus puntos de referencia, el muy cabrón. Podía salir a pasear en su camioneta cochambrosa, respirar el aire de fuera, mientras que yo tenía que seguir encerrada en ese inmundo cuchitril.

El zulo fue invadido por minúsculos bichitos marrones que volaban un poco y que yo aplastaba con mucho asco. Odio los insectos sean cuales sean. Tenía el cuerpo entero lleno de placas rojas y me rascaba sin parar. ¿Era psicológico o me estaban picando de verdad? No lo sé. Al principio sólo vi uno o dos, de vez en cuando. Los mataba con el zapato. Después fue la invasión.

Si antes ya vivía como un animal, ahora vivía rodeada de ellos. Vino a rociar el zulo con insecticida y, durante dos días, no pude dormir allí para no morir asfixiada. Tuve que quedarme arriba, en el cuarto.

Un día le pedí una chincheta o algo puntiagudo. Tenía las orejas agujereadas pero, como el 28 de mayo tenía piscina, no me había puesto mis pendientes. No quería que se me cerraran los agujeros. Se negó. Encontré un clip, lo desdoblé, y todos los días me lo pasaba por el agujero de las orejas y lo volvía a colocar cuidadosamente en la repisa. Intentaba reproducir míseramente mis pequeñas costumbres de casa. Ese tipo vivía en un basurero, su casa estaba sucia, me trataba como a un animal en aquel sótano que estaba todavía más mugriento que el resto, y yo necesitaba pequeños rituales para aguantar el tipo. Creo que buscaba desesperadamente hallar un poco de lógica en esa historia de locos, aunque fuera en los detalles más insignificantes. Él bebía café y yo no tenía derecho, pero se lo pedí hasta que se avino a darme una cafetera de filtro. Tenía frío y le pedí una estufa. Le acosaba con todo tipo de reclamaciones. Y aguantaba, no sé cómo. Quizá le pareciera dura –creo que llegó a decir incluso que era una «pesada»–, cuando en realidad me daban constantes ataques de llanto de lo desesperada que estaba. Un día me di cuenta de que casi le gustaba verme llorar y decidí no volver a hacerlo nunca delante de él. Y, al final, si no me los daba, terminaba yo exigiéndole el postre lácteo, los caramelos o la fruta. No soportaba que un día me diera un suplemento de comida y al otro no.

Me defendía como podía, volviéndome cada vez más agresiva e intentando olvidar la amenaza de muerte que pesaba sobre mí. Pero no lograba quitármela de la cabeza, me perseguía hiciera lo que hiciese, hasta en la mugre y en las lágrimas.

Durante dos meses y medio llevé las mismas bragas. Las lavaba cuando podía en el lavabo del cuarto de baño, sabiendo que, desgraciadamente, tardarían dos días en secarse y que no tenía otras. Al cabo de la primera semana ya me sentía sucia; le pedía mi ropa y él me mandaba a paseo. Pero tres semanas más tarde, o un mes –no recuerdo bien–, le pedí que me dejara lavarla a mí. Fue entonces cuando me respondió:

–Bueno, de acuerdo, te la voy a lavar...

Una mísera victoria más.

Y, en lugar de mis cosas, me adjudicó un pequeño short y una camiseta que no me pertenecían. Si yo ya me hacía todo tipo de preguntas acerca de él, aquel día me hice todavía más. Esa ropa de niño la sacó de un inmenso ropero de cuatro puertas, atestado de prendas de mujer y de niño. Había incluso osos de peluche en esa habitación, y en la de abajo, una cuna, pero él decía no tener mujer ni hijos. Y me machacaba con que «yo» era su mujer. Me dije: «O sea, que la cuna es para que juegue usted con ella, ¿no? Y los peluches y la ropa también son suyos, ¿no?».

Le seguía llamando de usted, no sólo para guardar las distancias, sino también porque esperaba que al ser correcta con él, él lo sería conmigo... Era un mentiroso. Por dentro me burlaba de él; por fuera elogiaba su horrible chimenea de la que estaba tan orgulloso, y el muy imbécil se lo creía. Decía que él era muy inteligente, pretendía saber hacer de todo, cuando no era más que un inútil y un guarro. Si de verdad tenía hijos, los compadecía por vivir con él.

Un día me anunció que se marchaba varios días a una misión. Se acabaron las comidas arriba y los asquerosos platos de carne picada y el calvario del cuarto; paz por unos días. Vuelta a los Nic-Nac, a las latas repugnantes y al orinal. Anoté su marcha marcando «ausente» en el calendario. En cuanto regresó, inscribí una «R». Creo que estuvo fuera cinco días.

Un día, de pronto, me encuentro completamente a oscuras. Sin luz, luego sin ventilador y sin calefacción. Con todo apagado, como en una tumba. Me invade el pánico. Lo revuelvo todo, aprieto y aflojo las bombillas, el interruptor no funciona. Ya no oigo girar el ventilador. Se trataba claramente de un apagón; me iba a ahogar sin aire y empecé a sofocarme de angustia. Me había avisado de que no podía hacer ningún ruido en el sótano, porque cualquiera podría oírme en la casa. Pero en esos momentos me daba completamente igual. Me puse a llamarle a gritos, aunque se suponía que se había marchado.

–¡Estoy a oscuras, no me encuentro bien, no veo nada, me golpeo con todo, me falta aire!

Ninguna respuesta. Grité todavía más fuerte.

–¡Se ha ido la luz! ¡Se ha ido la luz! ¡Baje!

Al ver que no venía nadie, me calmé. Afortunadamente, la luz volvió bastante rápido, porque de haberme quedado muchas horas en la oscuridad, y sin aire, me habría vuelto loca.

Esta vez estaba muy cabreada, estaba harta de ese agujero infecto. Me dije: «¡Me largo!».

Hallé la manera, pero no era lo bastante fuerte. Me pegué de espaldas a la puerta de doscientos kilos de hormigón y, con los pies apoyados en la pila de cajas y de trastos, empujé fuerte para accionar el sistema de rieles por encima de mi cabeza. Empujé con la espalda todo lo que dieron de sí mis treinta y tres kilos, con el cuerpo arqueado al máximo. Conseguí abrirla unos centímetros, pero estaba agotada, y quise darme un respiro antes de volver a intentarlo. No tenía suficiente apoyo y las cajas de cartón se movían cuando empujaba con los pies; me habría hecho falta un apoyo más estable.

Bebí un poco de agua y, en la misma postura, volví a empujar con todas mis fuerzas los doscientos kilos de hormigón. Y entonces me cargué todo el tinglado. Había dos rieles con rodamientos sobre los cuales se deslizaba la puerta, y una barra de hierro que servía de contrapeso abajo de la puerta. Esa barra es la que se cayó. Y no pude volver a colocarla en su sitio; no era lo bastante fuerte.

La puerta del zulo se quedó así, entreabierta. No fueron más que cinco minutos de esperanza. Imposible cerrarla o abrirla más. Imposible también pasar por debajo: sólo había unos pocos centímetros...

Por fuera, había donde agarrar. Para abrirla, él tiraba de la repisa de abajo. Pero, por dentro, el cemento era liso. No podía colocar la puerta en su sitio, ¡y menos aún jurar que no la había tocado! Así que me volví a meter en mi rincón, entre las paredes amarillas, me subí encima del colchón e intenté leer, sumergirme en mis libros, adoptar la pose de «niña buena que no ha hecho nada malo». No se me ocurría ningún argumento que pudiera justificar mi tentativa, y, aunque intentara no pensar en ello, me temía lo peor. Pensé: «Me va a linchar».

De repente oí ruido en la escalera. Me dije: «Ya está, me va a partir la cara». Me metí debajo de la manta, lo que debía hacer siempre en esas circunstancias, esperando a que dijera «soy yo». Normalmente se suponía que él abría la puerta y que entonces yo podía salir de debajo de la manta, aliviada por la presencia de mi «guardián salvador». Empezó a gritar. A llamarme de todo.

–¡Eres una inconsciente! ¿Y si el jefe hubiese venido, y si hubiera visto que estaba abierto? ¿Sabes lo que te habría hecho? ¡Si hubieras salido de casa, te habría matado! ¡Le importa un carajo matar a la gente! ¡Y antes de matarte, te habría hecho cosas que no puedes ni imaginarte!

Me esperaba una paliza, un castigo al menos. Pero empezó a bombardearme con amenazas de muerte y de diversas torturas sadomasoquistas, de las que a mi edad no tenía efectivamente ni idea. Horrores, en cualquier caso.

No me pegó, nunca lo hizo. No necesitaba más que levantar la mano, con su mirada violenta y su cara crispada de ira. Ello bastaba para hacerme callar, o para que me resignara a hacer lo que él quería. Tenía un poder mucho peor que el de los golpes, el poder de meterme el miedo a la muerte.

Arregló los destrozos de la puerta del zulo y ya no volví a intentarlo. Ese hombre tenía un poder enorme para una niña de mi edad. Me sentí todavía más desesperada y abandonada. Y me di cuenta de la locura de mi tentativa. Si lo hubiera conseguido, suponiendo que hubiese podido abrir la puerta de la escalera y la de la calle, habría caído en pleno cuartel general, en manos de algún torturador ansioso por servirse de mí antes de matarme, por ejemplo, de un tiro en la cabeza... Me imaginé de todo; había sembrado suficientes detalles escabrosos en mi cabeza como para convencerme de una muerte segura. Sin contar con las represalias que les habría causado a mis padres.

La culpabilidad es un arma tan eficaz como una pistola. Cuando pienso que ese monstruo no quería a fin de cuentas más que una cosa: saciar sus viles deseos con niñas, el tiempo que a él le diera la gana; que hacía años que violaba a mujeres, que había sido condenado por ello y que ahora se desquitaba con niñas, jurándose que no le cogerían jamás. Yo estuve muy cerca de la muerte. Y es un sentimiento que se queda grabado para toda la vida.

Nunca tuve tentaciones de suicidarme. De todas formas, no habría podido, y además creo que no va con mi carácter. Afortunadamente, yo era, sin ser consciente de ello, una «superviviente». La esperanza estuvo siempre ahí, recóndita, sin nombre, sin indicios tangibles o lógicos. Era muy tenue, pero estaba ahí, en mi sórdida vida cotidiana.

En una de mis incesantes reclamaciones para mejorar el «confort» de mi celda, le conté un día que, en mi casa, dormía con un osito de peluche. Me dio uno viejo, deshilachado, que debía de haber sido oso o perro. A imagen y semejanza del propietario de la casa: lamentable.

Un día saldré de este infierno. Me aferraba a esa intuición día tras día. Porque solía «venirme abajo» cada vez más a menudo.

4

DOMINGO, 14 DE JULIO DE 1996

Queridos mamá, papá, Bonne Maman, Nanny, Sophie, Sébastien, *Sam*, *Tifi* y toda la familia,

Le he pedido al señor que me cuida poderos escribir porque ya falta muy poco para tu cumpleaños, mamá, y para el tuyo, Sophie, y para el tuyo también, *Sam*. Me da mucha mucha pena no poder desearos un cumpleaños muy muy feliz y daros un beso muy fuerte, ¡e incluso haceros un regalo! A ti, mamá, se me había ocurrido regalarte un ramo grande de fresias con rosas o flores del jardín. A ti, Sophie, si hubiese tenido bastante dinero, un bolígrafo Parker y otro para mamá, que también le gustan. Y para ti, *Sam*, un juguete pequeño o una caja de galletas, para perro, ¡claro! Pero para eso tendría que tener dinero y sobre todo...

«ESTAR CON VOSOTROS» es mi mayor deseo...

Pero eso desgraciadamente no es posible. De todas formas, si volviera a casa, nos matarían a TODOS ¡¡y yo no quiero eso!! Prefiero escribiros y quedarme aquí que estar en casa y estar muerta. Espero que hayáis leído mi carta y que os haya gustado, ¡porque todo lo que cuento es totalmente *verdad*! Os adoro y pienso en vosotros muy a menudo y lloro a menudo por vosotros, pero DESGRACIADA-

MENTE creo que no me volveréis a ver nunca. Espero que vosotros también penséis mucho en mí.

Me pregunto si cuando coméis algo que me gustaba u oís una canción con la que hacía bobadas o me ponía a bailar, me pregunto si os acordáis de mí. También me pregunto si cuando ponéis música os ponéis a bailar, a moveros o a cantar como antes. Lo único que espero es que os estéis divirtiendo, que comáis bien (¡seguro que mejor que aquí!). ¡¡Y que os acordéis de mí sin poneros tristes!! Aquí la comida a veces es buena, pero también asquerosa, sin nada de salsa y a veces, más bien a menudo, está muy sosa. Muy pocas veces tiene salsa. O sino tomo a menudo carne picada con salsa de tomate, pero me da dolor de tripa. Os envié una carta, por medio del intermediario del amigo del que me cuida, y recibí noticias vuestras; me dijo, mamá y los demás, que el amigo te había ido a ver a la clínica para estar a solas contigo y que te había dado la carta y que tú la habías leído enseguida y que habías dicho que no me volviera loca mirando siempre los números del despertador o de mi reloj, que «comiera bien», que me lavara bien, y que le habías dicho también al amigo del que me cuida que yo no me lavaba muy bien y también que estabais todos bien y que os habíais resignado a no verme más y que debería también «gustarme» el «sexo», es decir, las cosas que os conté en la carta. Y que debía ser buena con el señor que me cuida porque sabíais que si le pongo nervioso me podría «entregar» a uno de la banda o a otro que conoce y que la persona a quien me daría me torturaría, me mataría seguramente después de haberme hecho sufrir. También me dijo que *Sam* estaba bien y que os ocupabais bien de mi jardín ¡y también de *Tifi*!

Por cierto, ¿os habéis comido todos los rábanos? Si queréis volver a plantar los rojiblancos, todavía quedan en el sobre que está en mi caja de zapatos Dockers encima de la estantería gris, y quedan, creo, algunas semillas de flores variadas. Y si no la habéis encontrado, la caja de caramelos con forma de chupete se encuentra debajo de la estantería gris en el sótano. Fuiste tu, mamá, la que me dijiste que los escondiera. Te dije dónde la había escondido pero no sé si te acuerdas. Cuando toméis la cena o un postre o galletas o caramelos o algo que me gustaba mucho, tomároslo pensando en mí porque yo cuando tomo algo rico sólo es porque he hecho lo que él quería, ya sabéis lo que quiero decir. Cuando nos bañamos, al salir, el agua está asquerosa, si vierais sus manos negras como el carbón, ya sé que trabaja, pero en fin. Además, ¡la que tiene que lavar la bañera soy yo! Lo que no sabéis es que cuando hemos terminado deja el agua en la bañera para poder echarla al váter, ¡dice que es para ahorrar el agua de la cisterna! Algunas veces tengo que lavar el váter asqueroso (porque abajo tengo un orinal y cuando subo lo vacío en el váter y lo aclaro, por supuesto), el fregadero, el suelo y nada más por ahora. Me pregunto qué tiempo hace fuera porque sólo puedo ver por una ventana y sólo cuando estoy abajo con él y además esa ventana está en el techo, todas las demás ventanas tienen contraventanas o cortinas cerradas. Desgraciadamente no puedo salir fuera, correr, divertirme, jugar...

¿Vais a poner la piscina si hace bueno? Me gustaría tanto meterme dentro con vosotros y con mis amigas. Hay un pequeño problema y es que el amigo del que me cuida ya no quiere darle en mano a mamá las cartas que escribo. Dice que es demasiado arriesgado. Entonces, en vez de eso, recibiréis mis cartas por correo y el que me cuida dará un telefonazo, pero no sé cuándo ni adónde, a lo mejor me pedirá el número de teléfono de Bonne Maman o de otra persona, no lo sé muy bien. Pero hay otro gran problema...

Esta parte de mi carta describe malos tratos que no deseo reproducir aquí.

...Pero eso no es todo, como me obliga a dormir desnuda, ¡se ha dado cuenta de que tengo verrugas! Y por supuesto ha decidido curármelas. Me ha dicho que lo va a hacer con ácido sulfúrico. Yo, claro, le he dicho que ya había hecho varios tratamientos. Y un día apareció con unas botellas de ácido sulfúrico. Y después cogió una cerilla y le sacó punta. Y empezó. Cuando vio el tamaño de las verrugas, le pareció que nunca me las habían curado. Así que tuve que inventarme otra vez que papá ya había utilizado ese sistema desde hacía mucho. Y como no lo había hecho desde hacía dos semanas (el hombre), esta mañana lo hizo. Normalmente, cuando noto que me quema o que me pica se lo tengo que decir y para, pero ¡a veces sigue! Ayer (sábado) me bañé, quiero decir ¡NOS bañamos! Y me frotó la piel con su mano y salieron un montón de pellejos, ¡estaba toda roja! «Me» baño todas las semanas y cuando tengo el pelo sucio ¡me lo lavo! ¡Pero se engrasa antes porque su champú no es para pelo graso! El cuarto de baño está asqueroso, sobre todo el suelo, y encima no hay alfombrilla de baño y ¡para cerrar no hay una puerta sino una cortina! Y además está rota, y no hay calefacción central en esta «casa». Echo muchísimo de menos poder veros, ¿sabéis? Echo de menos estar en casa con vosotros. Echo de menos también el cuarto de baño tan calentito y tan bonito. Echo de menos también «mi habitación», tan calentita también, tan cómoda con su edredón, su buena almohada, sus buenos cojines y los ositos y objetos que la llenan. Echo de menos también la buena comida, como los filetes con patatas, el pollo al curry, la gallina con arroz, el guiso de ternera con salsa de nata...

Me gustaría también que os ocuparais un poco de la cabaña. Por cierto, ¿habéis sacado el espejo que estaba dentro?

Si os he contado el problema de las verrugas y de la infección... es porque si por teléfono os pregunta cómo lo hacíais y no decís nada sospechará y será malo conmigo. Estos últimos días, casi todo el tiempo «me molesta», pero no tengo más remedio que hacer lo que él quiere. Algunas veces puedo ver la tele pero...

He censurado aquí voluntariamente algunos detalles.

... así que lo paso mal. Y encima cuando puedo verla es alrededor de las doce de la noche y ya no hay casi nada. Sólo una vez pude ver el final de *Urgencias*, era el episodio en que el doctor Ross salva a un niño en un helicóptero. Me gustaría también ver *Doctor Quinn* o también *Melrose Place*.

Estos últimos tiempos he estado un poco enferma, tenía dolor de cabeza, la nariz tapada y me dolía mucho el cuello ¡y también los oídos! Me dio jarabe y gotas para la nariz. Las gotas se llaman Nebacetine. No estoy segura de que los medicamentos que me da no estén caducados o que sean buenos para lo que me duele. Encima no bebo más que leche y agua del grifo, algunas veces arriba tengo derecho a tomar Coca-Cola o café y a veces un caramelo. Casi todo lo que me da está caducado. ¡Pero dice que la fecha del envoltorio es la fecha de venta! Se fue a una misión cinco días, ¡y me dio chocolate que caducaba en 1993! Sabía «un poco» a rancio, pero ¡me lo comí a pesar de todo! O si no todo lo que me da son productos sin marca o así, no es que nosotros siempre compráramos cosas de «marca» pero en fin. Hasta las compresas que me ha dado (por si acaso) son sin marca. Mientras que él toma Coca-Cola (¡la marca verdadera!), Nutella, etc.

Mi ropa olía tan mal que se la ha llevado para lavarla. Y a cambio me ha dado una camisa de verano con manga corta, muy apretada, y un bañador de niño.

Mamá, si hablas con él por teléfono dile cómo lavar lo mejor posible (si no lo ha lavado ya) el jersey rojo de Bonne Maman para que no lo estropee (creo que no tiene lavadora ni secadora). Mamá, cada vez que vayas a casa de Bobonne dale un beso muy fuerte de mi parte (muchos incluso) y cuando vayas a acostarte dale un besito en la oreja y en todas partes a *Sam*. Y para todos vosotros, haced como si os diera un beso por la mañana o por la noche o en otros momentos. Os deseo miles de besos, miles de alegrías, mil regalos y todas las mejores cosas posibles, y también un feliz cumpleaños (mamá y Sophie).

Sabéis, a veces miro los números del despertador y os digo lo que hago o lo que voy a hacer, os digo también que os deseo mucha suerte aunque no estéis trabajando y también que os doy miles de besos al infinito y que os adoro y que os deseo todas las mejores cosas posibles, y mi deseo más querido es volver a veros muy muy muy pronto y abrazaros.

Me he enterado de que habías puesto cosas mías en cajas. Por cierto, ¿es verdad lo que dijiste en la clínica? Cuenta muchas cosas por teléfono para que tenga noticias vuestras, ya que no puedo recibir ni fotos ni cartas. Por cierto,

¿has encontrado el álbum de fotos de *Sam*? Tenía pensado dártelo para el día de la madre pero lo escondí tan bien que se me olvidó, perdóname. Espero que te guste.

¡Espero IMPACIENTEMENTE noticias vuestras!

P.S. ¿Cómo era la carne asada que hacías en casa? (díselo al señor).

P.S. Cuéntale por teléfono lo que le han regalado a papá por el día del padre y a vosotros por vuestro cumpleaños ¡y a *Sam* también!

P.S. Espero que los dibujos os gusten. No hagáis caso de mi escritura ni de las faltas de ortografía.

N.B. ¿Sabéis? Cuando no me quedan libros o me pongo muy nerviosa con la consola, hago un poco de deberes, y también se me ha olvidado deciros que quizás en el mes de agosto habrá una chica conmigo. Y que quizá va a buscar un escondite más grande con bañera, fregadero, etc.

Y que de momento en este escondite al menos tengo Nic-Nac, pan, margarina (no mantequilla), queso fresco con sabor a ajo (no tan bueno como el Garli) y latas (no todas buenas).

Y se me olvidaba también que cuando me cura me dice «soy médico», sé más que tu mamá (sabe que eres enfermera), lo sé casi todo y lo sé hacer casi todo, etc. (Además no ha ido casi nunca al colegio.) Pero ¿cómo hará si tengo problemas con los dientes o si tengo una caries o si tengo problemas de ojos o de tripa o de otro sitio?

Os adoro a todos
Os doy miles de besos para
SIEMPRE

También he sabido por el hombre que me cuida que se había enterado por alguien que papá había tenido problemas con el jefe cuando era gendarme o que papá le había pedido que le prestara dinero y que a lo mejor no se lo había devuelto, ¡es por eso que el jefe me ha cogido a mí para haceros daño! (o a lo mejor es por otra cosa).

Me gustaría mucho que dierais dinero para «recuperarme», habría que pedírselo a alguien, pero tendría que ser mucho dinero porque habría que dar todavía más porque se cree que estoy muerta, ¡así que seguro que querrá más!

Por cierto, ¿cómo han reaccionado en la familia y en el colegio cuando se han enterado?

¡Decidle al señor cuándo trabajáis y qué horario tenéis!

Además, el papel de váter es como el de la clínica, fino y rugoso. Así que cada vez que voy al retrete mis dedos pasan a través y ¡no es nada agradable!

Y también algunas veces cuando el jefe o los otros se quedan varios días no puede venir a buscarme y ¡me paso varios días sin comer de verdad!

Espero poder volver a escribiros, por si no pudiera escribiros durante mucho tiempo quiero desearos todas las mejores cosas posibles (cumpleaños...).

¡Y espero que os acordéis de mí!

Os adoro

Sabine

Os deseo muy muy buenas vacaciones, ¡decidle al señor si estáis trabajando o si estáis de permiso y hasta cuándo!

Me llevaba siempre varios días escribir una carta. Esperaba hasta tener más cosas que contar. Ésta estaba fechada el 14 de julio; anoté «carta» al lado de esa fecha en mi calendario. Escribí «ausente» desde el martes 16 de julio hasta el martes 23 de julio, lo cual quería decir que el monstruo estaba «de misión» y que yo estaba sola en el zulo.

En todas mis cartas se aprecia culpabilidad. No por el hecho de que no quisieran pagar el rescate, sino por todo lo demás. Escribí: «Si vuelvo, seré menos egoísta», y en realidad no creo haber sido tan egoísta. Ahora lo soy, porque tiene que ser así, lo necesito, pero creo que me preocupé demasiado por ellos. Estaba encerrada ahí dentro y me decía: «Quizá fui demasiado, demasiado, demasiado... entonces seré menos, menos, menos...».

Creí que estaba castigada por todas esas cosas que mis padres me reprochaban: no estudiar bastante, no limpiar la casa bastante... Así que decía: «Seré más obediente, seré más buena». Y en la siguiente carta cambiaba de parecer y escribía: «Si no fuera buena, ¿por qué haría esto o lo otro por vosotros?». Intentaba temporizar mi culpabilidad. Me contradecía sin darme cuenta, pero era por el pensamiento que me atormentaba.

«¿Estoy castigada? Pero ¿por qué?»

No es que fuera una santa, pero en el fondo era buena. Como tenía muchos amigos, no paraba mucho en casa. Pero cuando se tienen doce años no hay por qué ser la criada de la casa, sobre todo si hay dos hermanas mayores. Todavía tenía ganas de jugar, y no necesariamente de pasar el aspirador, limpiar el polvo o fregar los platos. A veces me portaba mal, pero mis dos hermanas a veces también.

Me preguntaba, pues, si era normal que se me castigara por eso. Y de esa manera.

Escribía, dibujaba, miraba el despertador. Retomaba una carta que estaba sin terminar, amontonaba las minas de los bolígrafos para enviárselas a mi hermana.

Empecé a hacer poemas para Bonne Maman y para toda la familia, copié encasillados de crucigramas, listas de todos los solecismos y barbarismos que encontré, ¡incluso unos consejos para comer bien y crecer bien! Me aplicaba siempre en la escritura, ¡como si fuera a pasar un examen! Pero a veces también rellenaba deprisa hojas y más hojas que añadía a mis cartas, y, al volverlas a leer más tarde, me di cuenta de que la escritura era distinta. Más nerviosa, menos infantil.

«... Como seguramente no volveré jamás, a menos que suceda un milagro, papá puede quedarse con mi radio despertador y vosotras también podéis coger cosas...»

«Aunque no vuelva nunca, POR FAVOR no tiréis ninguna de mis cosas (guardadlas, por favor)... acordaos de mí... cuando comáis caramelos.»

Aquel martes 23 lo marqué en mi calendario con una estrella roja que quería decir «muy muy mal». Volvió de la misión y me vino a buscar a mi agujero, y cuando, mucho más tarde, agotada, me encontré de nuevo a salvo en esa tumba insalubre, me puse a escribir. Pero esa carta, que iba dirigida a mi madre en particular, no puede en ningún caso ser reproducida íntegramente. Mi madre, de hecho, nunca la leyó después de que los inspectores la encontraran debajo de la alfombrilla de ese cerdo miserable. Ella quiso, pero yo siempre me negué. Con mi sufrimiento ya era bastante, no hacía falta que lo padeciera ella también.

Escribí esa carta alucinante en el fondo del zulo, tras

unos suplicios cuyo recuerdo sólo me incumbe a mí. A nadie más. Me enteré de que ese obseso miserable no tuvo el «placer» de leerla, ya que fue encontrada dentro del sobre, cerrado con papel engomado. Supongo que fue el juez de instrucción el que la abrió.

Acepté y quise que mis cartas fueran leídas durante el juicio, en audiencia pública y oral, por un inspector, para evitar tener que hacerlo yo misma. Mis padres no asistieron a la audiencia, yo no quise, y se atuvieron a mi voluntad por consejo de mis abogados.

Si decidí revelarla primero en el juicio, y luego en parte en este libro, fue para que se supiera la verdad, para que se entendiera hasta dónde puede llegar el delirio sádico de un obseso sexual ávido de poder, que manipula psicológicamente a una niña de doce años. El jurado pudo constatarlo. Dijeron que era una persona inteligente. Lo concibo en la medida en que era calculador, mentiroso, manipulador y lúcido. Por lo demás, tal y como dije –se me perdonará la vulgaridad de la expresión–, era un «gilipollas» sucio y repugnante, física e intelectualmente.

El hecho de que yo haya sobrevivido, y de que ese enfermo conservara parte de mis cartas, como la que sigue, dirigida a mi madre, da buena muestra de su estupidez. Estas cartas han sido útiles para los investigadores y para los jueces, que no cayeron en la trampa de la supuesta red pederasta de la cual él sólo sería una «pobre víctima intermediaria», como quiso hacer creer. Hacerle creer a una chiquilla de doce años que existía un «jefe» y una «banda», mientras está encerrada en un sótano en atroces condiciones, es una táctica muy fácil. Convencer de ello a personas adultas es demasiado «ambicioso», a pesar de su cerebro de monstruo cegado por él mismo. Sin contar con que, de la tal «banda», yo sólo le vi a él y a su acólito de la gorra, aparentemente tan miserable como él. Pero se niega a decir la verdad sobre la mayoría de los crímenes por los cuales se le ha condenado a reclusión a cadena perpetua, acompañada de una «puesta a disposición» del Gobierno. Ese monstruo quiso jugar con el sufrimiento de las familias de las otras víctimas, niñas y adolescentes, y fue también en nombre de estas familias que quise adjuntar estas cartas al expediente. Fui su presa en ese zulo, la suya sólo, no estaba destinada a nada más que a saciar sus impulsos sexuales, y estoy convencida de que, en cuanto me hubiera destrozado del todo y yo me hubiera vuelto «inservible» para él, habría corrido la misma suerte que las pobres víctimas anteriores. Estaría muerta. Y él habría seguido actuando como tantos otros psicópatas, con la complicidad además de su mujer, si, contrariamente a lo que él había «decidido», no le hubieran cogido.

He resumido, pues, la primera parte de esta larga carta en la que le contaba detalladamente a mi madre los sufrimientos que intento olvidar de nuevo desde el juicio.

Martes 23 de julio. Me dijo «antes»:

–Vamos a hacerlo, así estaremos tranquilos.

Me dijo «después»:

–¡Deja de chillar, no duele tanto! ¡Todas las chicas lo hacen! ¡Y les duele la primera vez!

Y, al final, añadió que «no me molestaría más durante un mes». Sin embargo, lo volvió a hacer y de manera igual de odiosa para la niña que yo era entonces.

Pasaré también por alto los sórdidos detalles acerca

de mi salud física tras estos sufrimientos. Afortunadamente los he superado.

Mamá,

Si he puesto en el sobre de la carta *«cartita reservada a mamá, leer sólo si ella lo dice»*

Es porque quisiera hablarte en particular de varios ¡PROBLEMAS GRAVES!

[...]

... Y me bajó de nuevo a mi escondite. Y ahora, mamá, te estoy escribiendo y *espero que todo esto te hará reflexionar mucho* porque te voy a pedir una cosa *¡muy grave y muy dura!* ¡Si supieras lo que me dice y lo que tengo que soportar! Dice que tengo que «hacer el amor con él» y que después ya no me dolerá... [...] que tengo que besarle ya sabes dónde, y eso que cada vez que viene le tengo que dar un beso en la boca (puaj...).

Ya sé que os lo he pedido muchas veces pero ¡«tenéis» que sacarme de aquí! Al principio era soportable, pero ahora se ha pasado de la raya, lo siento mucho. Una vez se me ocurrió una «idea». Le pregunté, si consiguierais el dinero (ay, siempre el dinero), si sería posible que volviera a casa. Y adivina lo que me contestó... SÍ.

Pero, claro, hay un inconveniente, como el «cabrón» se cree que estoy muerta habrá que dar más dinero (un millón). Así que si conseguís tres millones (lo antes posible, POR FAVOR) y yo sigo escribiendo y él sigue llamando, cuando tengáis los tres millones decídselo y se arreglará con vosotros. Cuando tenga el dinero, me ha dicho que hablaría (lo mejor posible) con el «jefe» y que entonces podría volver a *mi casa*. No creáis que quiero haceros daño si os pido esto, pero si os pido esto es:

1) para volver a veros *¡sanos y con buena salud si es posible!*

2) para no sufrir más y recuperar la ¡VERDADERA FELICIDAD!

3) para salir de esta sucia historia y *querernos todavía más que antes.*

Os lo suplico, ¡es muy importante para mí y para mi vida del futuro! Sabes, mamá, he reflexionado mucho sobre todo esto y siento tener que pediros una cosa así pero ¡pensad en ello! Espero que ganéis a la lotería o, por qué no, al ¡telekwinto[1]! ¡O podéis arreglaros con la familia (u otras personas) para que cada uno dé dinero! Sabes, he pensado mucho en todo esto, y cuando estaba en la cama con una cadena (antes de ser salvada[2]) ¡siempre creí que al día siguiente, o no sé cuándo, iba a volver a veros! Y también he reflexionado sobre el pasado, los buenos recuerdos, pero también las tonterías que hice, ¡las veces que os traté mal o que no os QUISE como debía! Y he dicho que si seguía con vida era porque el Señor me ha dado una segunda oportunidad para mejorar mucho más en las cosas que vivo, digo, hago, ¡así que por eso he tomado un montón de buenas resoluciones para mi NUEVA VIDA!

En vez de ir a casa de mis amigas todo el tiempo, iré a ver a Bonne Maman a su casa, y en vez de quedarme algunas veces sola en casa por las tardes, iré a verla, y me preocuparé más por la familia ¡y también por mis ESTUDIOS! Sabes, he mirado varias veces mi carné de notas y me he dicho que soy una auténtica calamidad: 1) porque no he es-

1. Juego de lotería instantánea emitido en directo junto con un concurso de televisión a mediados de los noventa. *(N. de la T.)*
2. Fue en ese momento cuando declaró ser «mi salvador».

tudiado bastante, 2) porque no os he dado la alegría de traeros un bonito carné «todo azul» y 3) porque no os he hecho bastante caso (desgraciadamente) y he jugado demasiado. Y ahora estoy muy decidida a intentar aprobar los cursos de manera tan brillante como lo ha hecho Nanny y lo hará seguramente Sophie. Tengo incluso algo que pedirle a mamá: cuando estés en casa, ¿me querrás preguntar las lecciones como cuando estaba en primaria? Creo que es bueno para conseguir memorizarlo todo y no equivocarme más como con «Ambiorix» (¡cómo nos reímos con eso!). Y además de muchas cosas importantes que os prometo (es verdad), está la de ser menos egoísta, por ejemplo prestando mis cosas, siendo más servicial, más amable y muchas otras cosas... Estoy plenamente convencida de que me encontraréis cambiada, es normal después de todo lo que he pasado, mi corazón roto se repondrá enseguida con vuestra ayuda y vuestro amor...

Te lo ruego, reflexionad sobre ello pero... no por mucho tiempo, porque algunas veces me abandono...

Te quiero, Sabine.

* Además, mamá, quién me va a cuidar cuando esté enferma, cuando tenga problemas de ojos, de dientes y de verrugas o de otras cosas, tú eres la que debes cuidarme y educarme. Te prometo que voy a ser obediente.

** Quizá no os he demostrado bastante que os quería pero ¡os adoro de verdad a todos! ¡Prometo sacar a pasear más a menudo a *Sam*!

5

EL 77.° DÍA

Entre esta carta y la última que han encontrado, fechada el 8 de agosto, mi salud física estuvo bajo mínimos. Tuve una hemorragia muy seria y unos dolores espantosos. Me dolía el costado y la espalda, y si intentaba tumbarme boca abajo, era igual. En ese cuarto del calvario adonde me seguía llevando, evitaba ponerme mirando hacia él y tiraba de la cadena a propósito, sólo para fastidiarle. Si hubiera tenido un cuchillo...

Me obsequió generosamente con unos pañales viejos y gruesos que no me fueron de mucha utilidad. Me los tenía que cambiar cada media hora. En el zulo, en ese maldito colchón, con esa manta que me picaba y entre esos muros asfixiantes, me pasaba el tiempo sola, llorando. Lo más duro era no tener nadie con quien hablar. Esperaba que mi madre recibiera pronto esa carta, que al fin comprendiera que no podía más. Ese sentimiento de abandono total me volvía agresiva a la vez que me desalentaba. No me reconocía a mí misma. La niña de la foto de mi tarjeta escolar no tenía nada que ver con lo que era ahora. Sentía verdadero asco de mí misma.

Esa violencia contra mi virginidad de niña todavía impúber y la obstinación de ese monstruo repugnante que no se resignaba a dejarme tranquila, como el muy hipócrita me había prometido, me daban ganas de matar. A veces le decía:

–¡Basta ya!

Y él me contestaba (o no, según). Cuando contestaba, decía:

–¡Venga, que no es para tanto!

–Pues sí, sí es para tanto...

Un diálogo de sordos que me devolvía a mi monólogo interior. «Le da completamente igual el estado en que estoy. Ya me puedo desangrar hasta morir, gritar de dolor, que no parará.»

–¡Deja de chillar! ¡Si te oye el jefe...!

Una vez, se me ocurrió preguntarle:

–¿Puedo contar hasta cien y que luego se acabe?

Me daba prisa, uno, dos, tres, cuatro... a toda velocidad... cien!

Como al escondite.

Al final, me dejó tranquila durante unos días.

Debía de estar volviéndome inservible para él.

Tenía miedo de mi propia muerte. Procuraba no imaginarme cuándo y cómo se produciría, pero a veces me decía: «Si un día este tío me mata, espero que me pegue un tiro en la cabeza con una pistola y que vaya todo rápido». Desfilaban imágenes espantosas por mi mente cada vez que decía: «Si el jefe sabe que estás viva...», dándome a entender todas esas horribles cosas que me había explicado «con instrumentos, o con una cuerda, o con un cinturón».

Ya ni me reconocía en el espejo de ese cuarto de baño inmundo. Los ojos rojos, el pelo sucio y estropajoso, y esos surcos que las lágrimas dejaban en mis mejillas a causa del polvo.

Entre otros pasatiempos, se le ocurrió cortarme el flequillo que me caía sobre la frente, y el resultado fue horroroso. Dibujé mi cabeza redonda como una luna, porque parecía un payaso con ese flequillo tan corto. En un dibujo representé el ideal: «Pelo cortado por papá o mamá».

En el otro, el desastre: «Pelo cortado por él...».

Recogí un pequeño mechón para enviarlo en mi próxima carta, bien envuelto en una hoja de papel. Hacía mucho tiempo que le ponía nervioso ese flequillo, que quería cortármelo «a lo perro».

Le pregunté incluso a mi madre, en una hoja especial, si estaba de acuerdo sobre este asunto, y sobre otros más. Era una especie de formulario en el cual había preparado las respuestas que tenían que dar a cada pregunta –«sí» o «no»–, simplemente rodeándolas con un círculo. Inconscientemente, desconfiaba de que las respuestas a mis cartas que me transmitía ese cabrón fueran ciertas. Me devolvió el formulario, rellenado por él, claro.

¿Ha encontrado mi madre el álbum de fotos de mi perro? Sí.

¿El cuaderno de poesía? Sí.

¿Cajas? (¿Qué ha metido dentro?)

Esta vez no supo qué contestar.

¿Peluches u objetos? (¿Con qué se han quedado?)

Sin respuesta.

¿Puedo reírme...? Sí.

¿Dibujos? (¿Qué le parecen?)

Aquí intentó contestar, pero no era la escritura de mi madre, era claramente la de él: «Son graziosos». (Con z... sin comentarios sobre su supuesta cultura.)

¿Otras cuestiones?

Con la misma escritura, anotó lo que él quería hacerme: «Sí, hay que cortarte el pelo "a lo perro"».

Estaba segura de que había contestado en lugar de mi madre. Desconfiaba de él desde que me dijo: «Tu madre ha dicho que tenías que lavarte mejor...».

Mi madre nunca habría dicho ese tipo de cosas. Ella sabía que me lavaba perfectamente yo sola, y la noción de aseo corporal de ese cerdo no tenía nada que ver con una simple higiene. Lo mismo que con la piscina. Me contó: «¡Se lo pasan muy bien bañándose!». Era una piscina desmontable que sólo utilizaba yo en verano. ¿Por qué habrían de instalarla en el jardín si yo no estaba?

Y en lo relativo al pelo, la respuesta tampoco encajaba. Sencillamente porque a mi madre le daba igual que me lo cortara o que no. Si hubiera contestado ella misma, habría escrito: «Haz lo que quieras», o nada.

Es curioso, aunque desconfiara de él por este tipo de respuestas, nunca llegué a poner en duda el guión que se inventó. Porque fue listo: decidió que, a partir de entonces, obtendría las respuestas de mis padres por teléfono. Era lo más prudente, según él... No recuerdo si utilizó esta excusa para justificar su escritura, ni si se lo pregunté. Estaba demasiado mal.

–Tus padres han dejado de buscarte. ¡Como no han pagado, seguramente piensan que estás muerta!

–No es posible.

Si ese tío consiguió manipularme de esta manera es porque yo estaba convencida de que mis padres tenían miedo, de que toda la familia estaba amenazada de muerte. Lo de que hubieran dejado de buscarme sí me lo creía, pero lo de que pensaran que estaba muerta no conseguía creérmelo. Máxime cuando él me había dejado escribirles y cuando yo había recibido, supuestamente, respuesta de ellos: ¡eso es que sabían dónde estaba! Ese canalla estaba intentando, disimuladamente, hundirme en la miseria. Y lo tenía fácil porque, además, mis relaciones familiares, sobre todo con mamá, no eran muy buenas, en mi opinión.

Los niños enseguida se sienten culpables, y cuando ella decía en tono de broma: «¡Cuando tú naciste, fue un accidente!», yo lo interpretaba así: «Bueno, pues no tendría que haber nacido, soy un fastidio para todos».

O cuando mostraba sus preferencias por una de mis hermanas, la que hacía siempre todo bien, yo me consideraba como una peste de niña que no traía más que suspensos en matemáticas.

Cuando me negaba a barrer o a fregar los platos, ¡era una peste!

Escribí: «No haré más esto, ni lo otro, seré más buena, tendré más cuidado con esto...». Y con mi mentalidad de niña, cuando ese monstruo me soltaba: «Se creen que estás muerta», yo pensaba: «Ya está, me han abandonado, ¡se han quitado un peso de encima!».

Era otra tortura más.

Otras veces, me rebelaba contra esos pensamientos: «No, no es posible, no me lo creo». Pero un segundo más tarde, me venía abajo, y al rato, me daba otra vez ánimos: «¡Sí, es posible, la prueba es que pasan los días y yo sigo aquí!... No, no me lo creo. ¡Me dijo que les había llamado!».

En ese período, ya no sabía qué hacer para aguantar como lo hacía al principio. Tenía los nervios destrozados. Llevaba ahí más de dos meses y me tenía en tal estado de humillación física que ya apenas conseguía resistirme, o fastidiarle. A veces, cuando él dormía, me daba un arrebato... «Si pudiera ir a buscar la pistola esa que me enseñó, y si fuera capaz de utilizarla, lo mataría.» Pero esa locura se me pasaba rápido: estaba atada.

A menudo, mientras comía con él, con el tenedor en la mano me decía: «¡Cómo me gustaría clavártelo en la cara, gilipollas!». Estaba cada vez más obsesionada por el tenedor, pero no habría sabido dónde clavárselo.

Encerrada, sola, con ese cerdo haciéndome cosas horribles día tras día, fui perdiendo poco a poco los estribos. Ya no me entretenía con nada. Ya nada me interesaba. Estaba harta de escribir. Ya no sabía qué escribir. Creía haber roto la consola Sega un día de rabia, y en realidad seguía funcionando, pero ¡ya no podía ver ese juego ni en pintura! Me había leído todos los libros, y hasta leer me ponía nerviosa; leía sin entender nada. Los últimos tiempos, estuve cada vez más sola; él me dejaba encerrada en ese agujero y desaparecía varios días. No me quedaba nada a lo que aferrarme, hablaba sola, miraba las paredes, al techo, como esperando poder pasar a través.

Lo primero que se me ocurrió cuando me encontré tan mal fue: «Libéreme, no se lo diremos al jefe, me iré a vivir a otro sitio si hace falta... Avise a mis padres para que se cambien de casa, nos mudaremos o haremos un atraco para pagarle». Me imaginaba cosas increíbles. No quería seguir ahí, estaba harta. Si antes ya odiaba a ese tío, ahora lo odiaba aún más por dejarme sola, encerrada, sin tan siquiera poder cambiar de aires al subir a la planta baja para comer, aunque supiera lo que me esperaba después un piso más arriba. No es que el aire fuera especialmente puro en esa habitación donde comíamos, pero era distinto que estar abajo. No mantenía con él grandes conversaciones. Casi siempre giraban en torno a lo mismo:

–La comida está asquerosa.

–Deja de quejarte y come.

–¡Quiero ver a mis padres!

–¡No puede ser!

–¡No quiero subir! ¡No me gusta!

–Te aguantas.

Esa ausencia de diálogo durante dos meses y medio me tenía completamente trastornada. Hasta el punto de ocurrírseme una idea loca:

–Quiero una amiga.

–¡No puede ser!

Había llegado al límite de mi capacidad de supervivencia en ese infierno. Ya no aguantaba escribir y él no podía liberarme, así que necesitaba a alguien para hacerme compañía.

–¡No puedo hablar con nadie, estoy harta! ¡En mi casa tenía un montón de amigas! ¡Quiero una!

–Pero ¡qué dices! ¡No necesitas ninguna amiga!

Como diciendo: «¿Y qué más? ¿Irle a buscar una amiguita por su barrio?».

Había perdido los estribos. Y su respuesta era lógica en la medida en que no iba a correr el riesgo de acercarse a la casa de mis padres, en un barrio en el que todo el mundo me estaba buscando. ¡Un criminal no vuelve al lugar del crimen!

Sin embargo, yo quería que fuera una de «mis» amigas.

No me daba cuenta. En mi mente de niña, eso no era más descabellado que haberle dicho: «Ábrame la puerta y déjeme marchar».

Y le insistí, como siempre, le lloré:

–No estoy acostumbrada a estar así, encerrada. En verano, siempre estoy fuera, ¡en mi cabaña, en la piscina! ¡Con mis amigas!

Entonces se le ocurrió la idea de que «tomara el sol», tumbada sobre dos sillas, desnuda bajo esa especie de burbuja que servía de techo. ¡Para tener la sensación de estar al sol! Le dije que no necesitaba estar desnuda, porque uno no podía broncearse detrás de una ventana. ¡Pero se empeñó el muy perverso! Tuve que hacerlo cinco o seis veces.

Era molesto y ridículo.

Y yo seguí con la idea fija de que me trajera a una de mis amigas. Cuando pienso en ello ahora, me digo que durante los últimos días del secuestro estaba verdaderamente trastornada. ¡O que sufrí una regresión momentánea a la edad de cinco años! Mi razonamiento era el siguiente:

«Me aburro, estoy harta, no quiero estar sola... ¡Si no me quiere dejar marchar, entonces quiero una amiga!»

Muy infantil, como el niño que reclama una cosa a sus padres hasta que éstos ceden.

Yo no sabía que ese monstruo raptaba niñas. Creía ser la única en mi situación, «salvada», «protegida» de un horrible destino. Así que ¡bien podía traerme una amiga de visita! Alguien que viniera a pasar el rato conmigo, jugar e incluso dormir conmigo. No podía imaginarme ni por un solo instante que ella fuera a correr la misma suerte que yo. Yo era el rehén, y era mi padre el que había hecho algo malo a ese «jefe». No había razón alguna para que ella, la amiga, fuera «castigada». Y además yo no tenía muchas esperanzas. Seguro que él me iba a volver a decir que no podía ser.

El jueves 8 de agosto, escribí mi última carta en el zulo. Por mucho que me hubieran abandonado o que me creyeran muerta, me daba exactamente igual. Necesitaba escribir. Pensaba que no hacían gran cosa por mí, que incluso me habían abandonado completamente a mi suerte en las lamentables condiciones en las que me encontraba. En esta carta no lo demuestro. Pero hay amargura.

Queridos mamá, papá, Bonne Maman, Nanny, Sophie, Sébastien, *Sam*, *Tifi* y toda la familia,

Me alegró mucho tener noticias vuestras. Ya sé que él no pudo hablar mucho por teléfono para no buscarse «problemas». En esta carta, tendré seguramente menos cosas que contaros porque ya os escribí hace poco. También me alegró mucho enterarme de que había venido el padrino de Sophie, debió de ponerse muy contenta. También sé que Nanny aprobó, me alegro mucho por ella y la felicito porque se lo merece, seguro que Sophie pasa a 6.° ¡como no ha tenido que examinarse! Me pregunto qué le habrá regalado a Sophie su padrino, y a ti también, mamá, y a *Sam*, y me gustaría si tenéis tiempo que le contéis al señor lo que os ha regalado. También sé que habéis montado la piscina y que disfrutáis del tiempo que hace. Espero que haga mucho sol y que paséis buenas vacaciones. También has dicho, mamá, que tenía que curarme bien la infección. Pero es que no sabes que me hizo mucho daño, ¡que me hizo sangrar! Es verdad que es «majo» por dejar que os escriba después de todos los riesgos que ya ha corrido por mí. Pero sabéis, ¡aquí la vida no es nada alegre y feliz! La casa está asquerosa, ¡el cuarto de baño ni os cuento! (sin alfombrilla siquiera). Sabes, mamá, ya sé que estás curada, pero lo que me daba miedo es que decías: «Como me salga algo en otro sitio, ya no hago nada». Eso es lo que me da miedo, te quiero tanto. Me alegro también de que *Sam* y *Tifi* estén bien, ¡y espero que mis rábanos estén buenos y que todas mis flores crezcan como es debido! Me «alegro» de que Sophie se haya quedado con Myosotis y Marsu[1]. De todas formas le había dicho que si un día me pasaba cualquier cosa podía quedarse con ellos. También me he enterado de que papá se ha quedado con mi radio despertador, a la que hay que cambiar las pilas, abrirla para ajustar la hora de la alarma, etc.

Me alegro mucho también de que todos me hayáis perdonado y de que me deseéis buena suerte. Espero que Bobonne esté bien y que no le vuelva a dar artrosis. Espero también que Sophie se alegrara de que yo fuera todos los días a verla a la clínica cuando la operaron y que no la molestara mucho. A lo mejor le hubiera gustado estar sola con sus amigas o descansando. Sabéis, a veces nos peleamos, nos «cabreamos», pero a pesar de todo, nos queremos mucho en el fondo. La prueba es que si yo no quisiera a Sophie y a Nanny no me preocuparía por saber si Nanny ha aprobado sus exámenes, y no me habría pasado las tardes

1. Mis dos peluches.

al lado de Sophie en la clínica. Y si no quisiera a papá, ¿por qué iría entonces a buscarle su jersey arriba? ¡O su paquete de «tobaco» donde José! Y si no quisiera a Bobonne, ¿por qué la ayudaría yendo a buscarle una caja de leche u otra cosa al sótano? ¿Y por qué la ayudaría yendo a buscarle la bandeja del café o ayudándola a descolgar la ropa y metiendo la cesta cuando llueve? Y si no te quisiera, mamá, ¿por qué te ayudaría yéndote a buscar el aceite o el vinagre o una botella de limonada u otra cosa al sótano? ¿Por qué iría a Battard, a la panadería, y por qué plancharía los pañuelos u otra cosa y subiría los trapos o la cesta u otra cosa arriba? Y también ¿por qué te haría un «masaje» en los pies debajo de los dedos (los cuchillitos, como los llamábamos) cuando estás cansada o cuando nos íbamos a acostar temprano al mismo tiempo? ¿Por qué haría todo esto por vosotros si no os quisiera? A lo mejor vosotros os habéis resignado a no volver a verme, pero ¿y yo?, ¿habéis pensado en mí? ¿En lo que podría además estar pensando? Ya sé que no siempre he sido buena con vosotros, que he sido mala y egoísta, pero, con todo y con eso, ¿podéis decirme por qué estoy aquí? Al fin y al cabo, yo no le he hecho nada a ese «jefe». Y no veo por qué tendría que pagar por ello. Siento tener que hablaros así, pero tenéis que sacarme de aquí como sea. Me siento verdaderamente triste y desgraciada y os echo muchísimo de menos, ¡os lo digo de verdad! Primero: «quiero» volver a casa porque me gustaría volver a veros. Segundo: me gustaría volver a casa porque éste no es mi sitio, mi sitio está junto a vosotros, junto a mi familia y mis amigos, y también porque ¡ya no aguanto más en este cuchitril! Y tercero: me hace demasiado daño...

[...]

... Y además yo no quiero crecer aquí porque a los doce-trece años es cuando todo empieza y yo no quiero que me venga aquí la regla, porque las compresas que me da se deshacen a los pocos minutos. En la carta anterior os decía que comía pan, pero no es buen pan como el de De Roo o Maes, es pan hecho con máquinas o no sé qué. Y ni siquiera es mantequilla, ¡es margarina! Os decía también que se iba a ir de misión, ¡y se fue! Se marchó el martes 16 de julio hasta el martes 23 de julio. Pero luego, malas noticias para mí, en fin. Después se marchó del 1 de agosto al 5 de agosto y el 5 de agosto se volvió a marchar hasta el 8 de agosto. Y el 8 de agosto se marchó de nuevo hasta el... (No lo sé todavía, hoy estamos a 8 de agosto.) En fin, lo importante es que estéis bien; que paséis buenas vacaciones, pero perdonadme, no puedo evitar mirar el despertador y llorar por vosotros.

Os adoro de veras a todos. Sabine.

P.S. En unas hojas aparte, adjunto unos crucigramas para Sophie, puntas de bolígrafo (ver paquete pequeño) y también poemas hechos por mí misma ¡y sin ayuda! Unos dibujos y también los principales solecismos y barbarismos que he copiado de un diccionario que me ha «dado» (es realmente pequeño y malo, ¡no vienen casi palabras!). Los mechones que he metido en la hoja no son los que me corté yo misma sino los que él me cortó, me cortó el pelo como un payaso, mucho peor que cuando me lo cortaba mamá, ¡mirad el dibujo de abajo y enseguida comprenderéis cómo estoy!

Os mando miles de besos, os adoro a todos.

El dibujo del enrejado (de los crucigramas) no me ha salido tan bien como el de Sophie, pero lo he hecho lo mejor que he podido.

¡«Él» os llamará seguramente dentro de unos veinte días!

N.B. Dice que puedo llamarle de «tú» pero ¡prefiero no tener un trato tan familiar! Olvidé deciros que cuando se fue a su misión, me dejó una cafetera para calentar agua para hacer «café» (es café soluble, no está tan bueno como el de casa, ¡pero bueno!).

Al marcharse, me dijo:

–Te voy a traer una amiga...

No me lo creí. Igual que si me hubiera dicho: «Abre la puerta y vuelve a tu casa», tampoco me lo habría creído. En esos momentos, me sentía totalmente perdida, atrapada en ese agujero ¡hasta que pasaran diez años por lo menos! A mis padres les daba completamente igual lo que les había contado en mis cartas anteriores; ya podía sufrir lo indecible: nada iba a cambiar.

El 8 de agosto por la tarde, volvió. Ese día añadí otra dolorosa cruz en mi calendario. El 9, no le vi; anoté «ausente». El 10 de agosto, vino a buscarme al zulo. Creí que era para comer con él, pero al subir por la escalera me anunció:

–Tu amiga está aquí, la verás luego.

¡Me quedé estupefacta! Y muy contenta, porque me estaba volviendo loca y otra presencia que no fuera la suya era milagrosa. Evidentemente, ¡quise verla enseguida!

–No, no, vas a «tomar el sol» y después la verás.

Ese estúpido ritual me tenía harta, y en esos momentos más que nunca.

Cuando por fin me llevó al piso de arriba, cogí al vuelo mi pantaloncito corto, que me puse rápidamente por la escalera para no estar completamente desnuda delante de la «amiga». ¡Ni siquiera me dio tiempo a coger la camiseta! Estaba muy molesta.

No quería que al verme se preguntara en qué casa de locos había ido a parar. ¿Una casa en la que las niñas se pasean desnudas?

Y por fin vi a la otra niña, atada a la cama, aparentemente desnuda como yo bajo la sábana. Una sensación de *déjà vu*... No parecía estar muy en forma; él intentó despertarla para que me viera:

–¡Te presento a tu amiga!

Me quedé un poco perpleja:

–¿Quién es? ¿Cómo se llama?

Supongo que no tenía ni idea... En cualquier caso él no contestó. Y me sentí extrañamente contenta y molesta a la vez. Yo no sabía de dónde venía, y como no había caído en la cuenta de que yo no había sido «salvada» sino secuestrada, ¡él no podía haberle arrancado esa niña a su familia! Pensé que habría ido a ver a alguien que conocía, diciendo que buscaba una amiga para una chiquilla que se aburría de estar sola...

Después, las imágenes hablaron por sí solas. La cama, la cadena alrededor del cuello... Progresivamente, volví a revivirlo todo, como si intentara analizar un recuerdo borroso. De veras había alguien, una «amiga», era verdad, y al mismo tiempo... la realidad me golpeó con fuerza: «Pero ¿qué es lo que he hecho? ¿Por qué se lo he pedido?».

La miraba y me veía a mí misma. Esa sábana, esa cadena, ese cuerpo desnudo debajo... era yo. Quise desaparecer. En vez de eso, dije:

–Hola... ¿Qué tal estás?

No sabía qué más decirle. Parecía estar drogada. Y yo estaba molesta delante del monstruo ese que seguía ahí plantado escuchando.

Me preguntó:

–¿Cómo te llamas?

–Sabine.

–¿Desde cuándo estás aquí?

Bajé la vista. Tenía miedo de decir el número de días delante de él; podía representar una condena para mí, pensaba a menudo en ello. Como un día considerara que llevaba mucho tiempo allí, podría deshacerse de mí en un abrir y cerrar de ojos.

Así que le contesté muy bajito:

–Desde hace setenta y siete días...

Se volvió a quedar dormida. Había llegado la víspera, pero yo no lo sabía.

6

80 DÍAS

–¿Quieres que la despierte?

–No.

Me llevó al zulo y me dijo que la iba a dejar dormir.

Tenía miedo. No esperaba encontrarme con una amiga, atada como yo a la cama de ese cabrón, y volver a verme como siempre, sola y encerrada en ese cuchitril. ¿De dónde venía? No quise que la despertase por temor a saberlo. Si la había secuestrado como a mí y sus padres pagaban el rescate, volvería a su casa, diría que me había visto y entonces él me mataría.

El 11 de agosto, me llevó a la planta baja para comer. Éramos tres. Esperaba poder charlar con ella, pero no se encontraba mucho mejor que la víspera, y él seguía ahí vigilándonos con su cara de sádico.

Se niega a comer el plato precocinado que, como siempre, ha calentado en el microondas. No acepta más que una tostada, y mira al vacío. Entiendo que sigue drogada. La situación se vuelve cada vez más extraña para mí. Al verla en esa cama, la víspera, me dije: «¡Mierda, le está haciendo lo mismo que a mí! Le pido una amiga, y resulta que la desnuda y la ata. ¿Qué más le ha hecho?». Y al mismo tiempo, ¡estaba contenta, porque ya no podía soportar más a ese tío! Por fin tenía alguien con quien hablar.

No me planteaba aún el problema de mi responsabilidad, de tan dominada como estaba por la manipulación psicológica de mi guardián. Ella estaba ahí; yo ya no estaba sola en ese infierno. Pero tenía que esperar a que se recuperara, y que el imbécil ese la bajara al zulo para poder charlar tranquilamente con ella. Para mí era un acontecimiento importantísimo, un rincón de cielo azul en medio de mi desesperación. El oscuro porvenir que me esperaba sola, en compañía del «otro», se esclareció un poco. Ahora seríamos dos; me había prometido agrandar el zulo sacando todos los trastos que tenía amontonados del otro lado. ¡Me prometió incluso poner un lavabo!

Mientras tanto, me hizo limpiar la casa. Provista de un cubo, de una bayeta sucia y de líquido lavavajillas, tuve que restregar el cuarto de baño, el cuarto del medio, donde comíamos, y el de delante. Ya lo había hecho una vez, no sé cuándo. Había habido una inundación, y estaba lleno de barro por todas partes. Me trató de «princesa» porque me quejé de lo sucio que estaba el trapo. Ese tío era igual de sucio que sus trapos. Desde que estaba allí, nunca me había dejado limpiar el zulo, que apestaba a moho y a polvo hasta tal punto que tenía constantemente la nariz tapada. Sin embargo, conseguí que me diera gotas para la nariz.

Después tuve que volver a la ratonera. Se quedó arriba con mi «amiga». Quiso que se paseara desnuda por la casa, pero ella reclamó su ropa y él terminó por ceder.

El lunes 12 de agosto, apunté en mi calendario: «Amiga». La había bajado al zulo.

La pesada puerta se cerró sobre nosotras, y ella descubrió ese lugar con la vista todavía nublada. Se suponía que yo tenía que informarla sobre la organización de nuestra «existencia». Primero le propuse comer. Se volvió a negar.

–Tengo miedo de que me drogue.

–Venga, come, estoy segura de que todavía no has tomado nada.

–Sí, las tostadas, pero los platos no.

Se comió algunos Nic-Nac conmigo, y quise avisarla de las sucias maniobras que intentaría seguramente hacerle cuando volviera a buscarla.

–Ya lo ha hecho.

También le dio el mismo tipo de baño que a mí. Me costaba hablar de ello; no me atrevía a hacerle muchas preguntas. Creo haberle preguntado a pesar de todo cómo lo había «soportado».

–Tenía mucho miedo de que me pegara...

–Pero ¡estás loca! ¡A mí nunca me ha pegado! ¡Le grité como una posesa que no era normal, que no quería, que me dolía!

–Yo, cuando te vi, pensé que te maltrataba.

Tenía siempre los ojos rojos e hinchados de tanto llorar. Y el cuerpo cubierto de placas. Tenía verdadero aspecto de ser maltratada.

–Entonces ¿hace mucho que estás aquí? ¿Y estás bien?

–Si puede decirse...

Cogí mi calendario para mostrarle cómo intentaba orientarme. Ese calendario era extremadamente importante para mí, me unía a la vida invisible que seguía su curso lejos de mí. Los días en que mi madre estaba de permiso, el de la visita a casa de mi Bonne Maman. También servía, desgraciadamente, para apuntar los días en que se marchaba y las R de su regreso.

–Estoy aquí desde el 28 de mayo.

Me miró con más detenimiento. Seguía soñolienta: debía de haberla drogado más que a mí el día de mi secuestro.

–Espera, ¿cómo te llamabas?, yo soy Laetitia.

–Me llamo Sabine. Te lo dije allí arriba...

–¿Sabine qué más?

–Sabine Dardenne.

–Pero si yo ya te he visto.

–Yo, en cambio, no te he visto nunca. Estoy segura. ¿De dónde vienes?

–Vivo en Bertrix, en lo más recóndito de Bélgica.

–Y yo soy de la otra punta, de Tournai. No nos conocemos...

–Sí, sí, ¡yo ya te he visto! Hay carteles por toda Bélgica. ¡Tus padres te andan buscando como locos!

–¿Sí? ¡Pues no me están buscando mucho! Hoy hace setenta y ocho días que estoy aquí...

–¡Que sí! ¡Que te están buscando! No me equivoco, ¡eres tú! ¡Sí, eres la de la foto, tus padres te están buscando!

No la creía. ¡Mis padres no podían estar buscándome puesto que estaban al corriente! ¡Puesto que no pagaban el rescate!

Luego me preguntó cómo había llegado hasta ahí.

–Iba al colegio en bici y me cogieron. ¿Y tú?

–Yo estaba en Bertrix; fui a la piscina con mi hermana, su novio y unas amigas mías. Como tenía la regla, no podía bañarme; mi hermana y su novio se fueron a otro sitio. Yo me quedé un rato, pero me harté de mirar cómo los demás se divertían en el agua, así que me fui. La piscina no está lejos de mi casa; volvía andando. Y entonces una camioneta se paró y un tipo me preguntó qué es lo que pasaba en Bertrix. Le contesté que eran las veinticuatro horas de motociclismo. El tío hizo como que no entendía. Y en menos de un minuto, me metieron dentro.

–¿Por la puerta lateral? ¿Fue él?

Fue él o el otro, el mequetrefe de la gorra. En realidad, el mequetrefe fue el que hizo la pregunta y el que fingió no entender. Y cuando ella se disponía a seguir su camino, el otro llegó por detrás y la pescó. Después, operaron de la misma manera que conmigo. Salvo que la envolvieron en una manta para trasladarla a la casa; debía de ser demasiado grande para meterla doblada en el baúl. Más adelante, supimos que unos vecinos les habían visto llevando ese paquete, y que él les dio a entender tranquilamente que se trataba de su hijo, enfermo...

El relato soñoliento de Laetitia que siguió se asemejaba al mío.

–Me dio unas pastillas, las escupí, me volvió a dar otras con Coca-Cola. Las volví a escupir. Entonces me dijo: «Eres una listilla».

No se dio cuenta enseguida de que Laetitia las había escupido directamente en la botella de Coca-Cola. Le volvió a dar unas pastillas, metiéndoselas en la garganta, y el muy imbécil se bebió el resto de la botella.

Cuando se dio cuenta de que el líquido soltaba espuma, era demasiado tarde: ya se había bebido una parte.

–La tercera vez, me dio un montón. Todavía noto los efectos, ahora todavía...

Hablaba con un ritmo bastante lento. De vez en cuando yo le preguntaba:

–¿Quieres un poco de pan?

Y ella contestaba somnolienta:

–No.

Yo estaba lúcida, nerviosa, y ella grogui.

–Pero ¿qué haces durante todo el día?

«Él» me había encargado explicarle más o menos cómo funcionaba el zulo. Había que esconderse si escuchábamos ruido, no contestar a menos que él dijera: «Soy yo». Las dos bombillas, la más fuerte y la más débil, que había que desenroscar para apagarlas, la repisa, el orinal, las latas que había que tomarse con el jugo, el bidón de agua. El pan que enmohecía rápidamente, la cafetera y el café soluble que me daba de vez en cuando, pero ¡sin azúcar! No era partidario del azúcar, ¡salvo para tomarlo él, claro! A veces me daba tres terrones de azúcar y yo tenía que administrármelos como podía.

Laetitia me escuchaba pero seguía traspuesta. Quería que se espabilara de una vez, ¡con la de tiempo que llevaba esperando poder hablar con una amiga! Pero estaba claro que le costaba mantenerse despierta.

–Puedes ver la televisión, ¿no?

–No, esta tele sólo funciona con la consola. Si hubiese tenido una televisión de verdad, habría podido ver las noticias. En cualquier caso, sé que estamos en Bélgica.

Ese primer día juntas fue decepcionante para mí. Ella estaba medio dormida; la tenía que haber «chutado» de lo lindo. Al día siguiente, no se encontraba mucho mejor, ¡tenía la impresión de estar hablando sola!

Le enseñé la mochila, que, afortunadamente, me había podido quedar, y mis apuntes. Le dije que había escrito a mis padres.

–¿Tú crees que yo también podré escribirles?

–Tuve que pelear mucho por ello, sabes, me aburría tanto, necesitaba a alguien, quería una amiga...

En ese momento, no reaccionó. Estaba tan grogui que no se le ocurrió decirme:

«Eres una imbécil, ¿así que por tu culpa estoy aquí?»

Me contó que él le había dicho: «Un malvado jefe te quiere hacer daño, yo te he salvado...».

–¡A mí me dijo lo mismo!

Pero esa similitud tampoco me hizo sospechar nada. Sin embargo, tendría que haberme hecho comprender al fin que ese cerdo se lo estaba inventando todo. Laetitia seguía dormitando. Me aburría. Quería salir de ahí. Estábamos atrapadas. Ordené como pude todas las cosas a un lado del colchón; no sabía cómo ponerme y me preguntaba cómo íbamos a arreglárnoslas para poder respirar las dos en esa ratonera, si estando yo sola ya me faltaba aire. Ese encierro era un suplicio. Desde muy niña, he necesitado tener libertad. Jugar fuera a la pelota. Correr. Ahí me iba a volver «loca de remate». Probablemente ya lo estaba. Toda esa suciedad, mi pantalón corto repugnante, mi camiseta negra de mugre. Y esa luz eléctrica que no apagaba nunca de tanto miedo como me daba la oscuridad.

Hubo un momento en que pensé que juntas nos podríamos escapar. Cuando había intentado empujar la puerta no tuve bastante fuerza, pero no obstante conseguí moverla lo suficiente como para casi sacar la cabeza. Así que juntas quizá lo conseguiríamos. Luego me eché para atrás. Ni siquiera se lo comenté a Laetitia. Él me había echado una bronca espantosa y, si volvíamos a intentarlo juntas y no funcionaba, podría montar en cólera y pegarnos.

Laetitia era mayor que yo, pero la notaba psicológicamente –por lo drogada que estaba– menos resistente para afrontar eventuales palizas. E incluso en el supuesto de que consiguiéramos abrir más la puerta y pudiéramos salir del sótano, quedaría la escalera, la puerta cerrada con llave y los dos cuartos de la planta baja que había que atravesar para llegar a la puerta de entrada, también cerrada con llave. Todo ello sin saber si él andaría o no por ahí, ni si nos iba a cazar la famosa «banda del jefe».

Procuraba apañármelas lo mejor posible con ella en el zulo, pero no era nada práctico. Laetitia estaba tumbada en el colchón, hecha polvo; ya no sabía cómo organizarme. Apenas había espacio para una persona, así que con dos era peor que estar en una lata de sardinas. A ratos ella me hablaba, y yo mientras seguía dándole vueltas –pero no mucho– al error que había cometido pidiéndole una amiga. No me imaginé que le fuera a hacer lo mismo.

Cuando él bajó al sótano, me ordenó:

–¡Tú te quedas aquí!

Sabía muy bien lo que iba a hacer con ella pero, en esos momentos, pensé que mientras tanto a mí me dejaría en paz. Más adelante, me sentí un poco sádica por haber experimentado ese alivio, pero durante las dos últimas semanas estuve tan desquiciada, y sufrí tanto... A él le traía al fresco que sufriera, que sangrara, que gritara; ese monstruo se desquitaba como le daba la gana.

Me esperaba que cualquier día volviera a las andadas conmigo, así que un descanso no me venía mal. Cuando me ordenó: «Tú te quedas aquí», casi dije «¡uf!» de alivio. Es triste, pero es así.

Y me acordé de lo que Laetitia me había dicho:

–Me callé la boca...

Si ella no oponía resistencia, ¡él se imaginaría que le

parecía bien! Ese «cabrón» no veía más allá de sus narices, ¡era capaz de creérselo! ¡Como si pudiera parecernos bien! Odiaba a ese don nadie. Esperaba que Laetitia le mostraría su repugnancia.

Al volver, no dijo nada. Al verle la cara me di cuenta de que no era momento de hablar de «eso». No me atrevía. Pensé: «Se sufre como se puede: gritando, forcejeando, ¡de todas maneras da lo mismo!». Además era perfectamente capaz de pegarla. Al fin y al cabo, yo también temía que fuera capaz de hacerlo cuando ponía mala cara y daba un puñetazo en la mesa, o me amenazaba con la mano gritando: «¡Cállate de una vez!».

Laetitia despertó verdaderamente hacia el cuarto o quinto día, creo, el 14 de agosto.

Tenía hambre. Aparte del pan y algunos Nic-Nac, no había tomado nada desde que estaba allí, por miedo a que él la drogara más. Empezó a reponerse un poco.

–Voy a abrir una lata.

–Pues que te aproveche, yo desde luego nanai.

–Voy a probar las albóndigas con tomate.

Sólo se comió media albóndiga, de lo asquerosas que estaban.

–¿No se pueden calentar en la cafetera?

–Pues no, aquí no hay ningún chisme para cocer, hay que tomárselo todo frío. Con el jugo y todas las porquerías que hay dentro. El pan se pone verde al cabo de dos días, no hay quien se lo coma. Te puedes desquitar con los Nic-Nac, el agua o la leche... a condición de que no se corte. Y si se marcha, tenemos para rato.

No se oía ningún ruido de pasos arriba, nada, silencio. Laetitia me dijo que la había raptado el 9 de agosto. La víspera, se había desfogado conmigo. Ese monstruo no dejaba pasar mucho tiempo sin maltratar. A Laetitia la obligó a tomarse unas píldoras contraceptivas caducadas; por lo visto tenía un stock.

La bajó conmigo al zulo el 12 de agosto, y aprovechó para llevarse la radio despertador. ¡Ya ni siquiera iba a poder escuchar un poco de música! Antes, cuando estaba sola, incluso me ponía a cantar alguna vez. Luego me hundía y me ponía a llorar al mismo tiempo... paraba la música, la volvía a poner y vuelta a empezar. Tenía miedo, sobre todo, de que se gastara la pila de mi reloj y quedarme sin referencia temporal.

El 12 de agosto, se volvió, pues, a llevar a Laetitia y, desde que la bajó otra vez al zulo, nada.

Mejor para nosotras, salvo que, si se había marchado a una misión sin que hubiera podido siquiera reclamarle provisiones suplementarias, tendríamos que aguantar con el pan y las latas que quedaban. ¿Durante cuánto tiempo? Éramos dos, con una única garrafa de agua, un único orinal. Nada para lavarnos. Ese aspecto no le preocupaba en absoluto. Ese tío era monstruosamente repugnante.

Empezó a parecerme raro que no bajara a buscarnos. El tío ese tenía sus «necesidades», no pasaba un día sin que me fastidiara.

Pensé que con la nueva haría lo mismo. Se lo dije a Laetitia. Qué raro.

¡Raro debió de resultarle a él! Le cogieron el 13 de agosto, y nosotras evidentemente no supimos nada. El colmo fue que un gendarme estuvo inspeccionando la casa ese día y no vio nada. Nosotras, en cualquier caso, no oímos nada. Laetitia estaba dormida, yo debía de estar durmiendo también y, de todas maneras, aunque hubiéramos percibido el menor ruido, no habríamos movido un dedo ninguna de las dos, antes de escuchar la voz del cretino ese anunciando su llegada con su horrible acento de siempre: «Soy yo...».

Al pobre gendarme le llamaron luego de todo. Lo pasó tan mal que lloró durante el juicio. Llevó a cabo su labor de investigación, inspeccionando la casa y el sótano, y desafío a quien sea a descubrir a ojo, sin el material adecuado, la astucia de esa estantería empernada, lastrada con doscientos kilos. Si ese cabrón hubiera hablado enseguida, Laetitia habría sufrido menos, aunque le hubiera hecho daño desde el primer día. En cuanto a mí, en el estado en el que estaba, cuarenta y ocho horas más o cuarenta y ocho horas menos... No se las reprocharé a ese pobre hombre. No hay que equivocarse de culpable.

La tarde del 15 de agosto, siempre guiándome por mi reloj, puse por adelantado una cruz en mi calendario al lado de la fecha –como solía hacer cuando no venía a «fastidiarnos»– diciéndome que habíamos ganado un día de tregua en esa guerra cotidiana e inmunda. Seguía aún sin esperanzas de ver llegar la paz.

Un día más. Llevaba ahí ochenta días y ochenta noches. Menos una...

Debíamos de estar comiéndonos los consabidos Nic-Nac, o mirando mis dibujos y mis apuntes, no me acuerdo.

Para dormir, íbamos a tener que apretarnos la una contra la otra en ese colchón putrefacto de noventa centímetros, cuando de pronto oí un ruido.

–¿Has oído ese ruido?

–Sí, ¿qué será?

–A lo mejor está ahí arriba con el jefe y sus amigos.

Ella estaba al corriente, igual que yo, de que para el «jefe» estábamos muertas, y de que ese cerdo nos protegía. ¡También era el salvador de ella! Ignoro durante cuánto tiempo se lo habría creído, pero por entonces ése era el caso.

–Prepárate para meterte debajo de la manta. Si dice que es él, podremos salir.

Después, oímos pasos escaleras abajo, junto al zulo.

Esta vez, el «peligro» acechaba.

–Hay demasiado ruido, nunca he oído tanto ruido, no es normal, vamos a escondernos...

Percibíamos un jaleo de voces y de gritos de hombres, sin distinguir exactamente qué decían.

Estábamos aterrorizadas, debajo de la manta, temblando. Laetitia seguía un poco bajo los efectos de las pastillas, así que estaba todavía más estresada. No debía de entender nada, salvo que estábamos en peligro de muerte. Hablábamos muy bajito debajo de la manta.

Yo estaba completamente lúcida. No quería asustarla, intentaba tranquilizarla como podía a pesar de lo aterrada que estaba yo misma. Y no fue fácil, pero yo era la «veterana», me tocaba acechar el peligro y reflexionar.

–¿Quién crees que puede ser?

–Mira, hace dos meses y medio que estoy aquí, ya no tengo nada que perder, no me queda nada... O nos han venido a buscar a las dos y no sé lo que van a hacer, o si es a una de las dos, va a ser a mí. Van a venir a matarme. Vamos a esperar.

No creo que hubiera un solo milímetro entre nuestros cuerpos, que temblaban al unísono de tanto que nos apretábamos la una contra la otra, frente a frente, para poder murmurar.

Primero oímos el ruido de los ladrillos esparcidos por el sótano, luego cómo movían las botellas y los bidones de la estantería de fuera. Esta vez me entró verdadero pánico, el pánico auténtico, el que no se puede vencer. El pánico a la muerte cercana. Le susurré a Laetitia:

–Son muchos, tengo miedo. Nunca he oído nada igual. Están quitando las botellas, pronto van a abrir la puerta.

Sin embargo, oímos su voz, como siempre:

–¡Soy yo! Voy a entrar.

La puerta se corrió pesadamente, se entreabrió lo justo para dejarnos salir, y entonces me entró pánico. Estaba él, en el pequeño escalón, justo en el lugar en el que solía esperar hasta que salíamos, pero detrás y alrededor de él estaba lleno de gente. Me puse nerviosa, estaba muerta de miedo.

-No quiero salir, no quiero salir, ¿quién es toda esa gente...? Han venido a matarnos, no quiero salir...

Y a Laetitia:

–Mira, ha dicho que es él, pero no sabemos quiénes son todos ésos.

Pero enseguida Laetitia señaló a uno:

–¡Sí, él! ¡Lo conozco, lo conozco! ¡Trabaja en Bertrix! ¡Lo conozco, es un poli! ¡No tengas miedo! ¡Sal!

En esos momentos, ambas estábamos convencidas de que nuestro «salvador» había ido a buscar a los gendarmes, o que se había entregado como un valiente, en fin, que había encontrado una solución para liberarnos... Seguí dudando un poco; estaba anonadada. ¿De verdad? ¿Podíamos salir de ahí?

Le pregunté incluso si podía llevarme los lápices de

colores que había tenido la «bondad» de darme; Laetitia pidió llevarse otra cosa, no recuerdo qué. Él contestó:

–Sí, puedes cogerlos. Cógelos.

Entonces, como una idiota, le dije: «Gracias, señor», abriéndome paso por la ranura de la puerta, y como una imbécil, ¡le di un beso! Laetitia hizo lo mismo.

Y, desde entonces, me muero de rabia por haberme creído hasta el final que ese don nadie, ese tipo sin nombre, esa basura, había tenido la valentía de entregarse. Imagino que desconoce incluso el significado de la palabra valentía. En aquel momento pensé –pero fue todo muy rápido– algo así como: «Estaba harto de esta situación, ya no sabía cómo salir de ella, así que llamó a los polis... Gracias...». ¡Si hubiera podido escupirle a la cara ese día! ¡Cuando pienso que perdí esa oportunidad!

Nos echamos a los brazos del primer inspector que nos encontramos. El mío resultó ser el gendarme Michel Demoulin. Muchos años después, durante el juicio, me dijo:

–No me soltaste ni un segundo, te agarraste bien fuerte...

No lo recuerdo muy bien.

Las dos bajo la manta, temblando de miedo, la puerta que se abre, toda esa gente desconocida... ¡parecía una jauría! Luego, como a cámara rápida, me deslizo por debajo de la puerta y corro a echarme en los brazos del primer policía y ya no lo suelto.

Laetitia fue a parar a los brazos de André Colin, al que afortunadamente reconoció por ser de su barrio. Él le da su pañuelo y ella se pone a llorar. Para mí, lo que sigue inmediatamente después es una excitación loca. Lo único que tengo claro es que ¡voy a salir de ahí! El resto me da igual. Supongo que la emoción de esa liberación fue tan violenta como el pánico del minuto anterior. ¡Fue tan repentino pasar brutalmente del inmundo agujero en el que me estuve pudriendo durante ochenta días a la luz del sol!

Creí que me iba a dar un síncope cuando salí fuera. Hacía tanto que no respiraba aire puro. Empecé a hablar y a hablar... como una loca.

–¡Qué contenta estoy! ¿Es verdad? ¿Es verdad que voy a volver a casa? ¿Seguro? ¿Que voy a ver a mis padres, que voy a ver a mamá?

Se me pasó el miedo. Temblaba de alivio, de alegría, de excitación, lloraba, estaba eufórica. Estaba un poco trastornada, no me daba mucha cuenta de lo que por fin me estaba ocurriendo. ¿No es una broma? ¿Es un sueño? ¿Es verdad?

Y me marché en un coche con mis lápices de colores, en dirección a la gendarmería de Charleroi, a toda velocidad. Los debí de olvidar en el asiento del coche, esos lápices, o en la gendarmería. No sé lo que hice con ellos, pero me recuerdo perfectamente con ellos en la mano.

Voy vestida con el pantaloncito corto y la camiseta mugrienta, tengo el pelo revuelto. ¡Estoy exultante!

En el coche, uno de los inspectores me miró y dijo:

–¡Es una historia de locos!

¡Parecía tan extrañado por verme ahí! Era a Laetitia a la que la gendarmería andaba buscando en esa época. Ni siquiera esperaban encontrarme con vida después de tanto tiempo. Fue, pues, gracias al secuestro de Laetitia y a la rapidez de la investigación que siguió por lo que salí viva.

Cualquier día se habría hartado de mí.

Por mucho que siga mintiendo el resto de su vida, ese don nadie, siquiera digno de una larva, tenía por costumbre raptar niñas, o adolescentes, a pares. No soy policía, pero su modus operandi, dicho en latín, su manera de actuar, fue siempre la misma hasta el final de su carrera. Lo demostró él mismo y por dos veces al menos.

Antes que nosotras, fueron An y Eefje, Julie y Melissa.

No estoy intentando restarme culpabilidad por haber reclamado una «amiga» al escribir esto. La reclamé con la ingenuidad de mis doce años y en un momento en que la enajenación se estaba apoderando de mí a causa del terrible aislamiento en el que me tenía.

Estoy convencida de que ese monstruo preparaba así sus «reservas». Yo ya no era «servible». Laetitia tomaría el relevo.

Aunque, quizá, yo precipitara un poco las cosas. O quizás él ya lo tuviera planeado, da igual. Lo que importa es que, el día del secuestro de Laetitia, su cochambrosa camioneta fue por fin localizada. Para empezar por un primer testigo: a una monja asomada a la ventana le pareció que esa camioneta hacía un ruido del demonio con el tubo de escape roto.

Tratándose de un chatarrero, pues tal era su «profesión», no deja de tener guasa.

Después, fue vista por alguien que describió la misma camioneta cochambrosa, blanca y desvencijada, una Renault Trafic con las ventanillas repletas de pegatinas. El chico se acordaba de tres letras o números de la matrícula. A partir de estos datos, la gendarmería dio con el feliz propietario de ese amasijo de chatarra, un maníaco sexual reincidente, ex presidiario... Marc Dutroux.

Por lo visto, lo «cogieron» por sorpresa, en el jardín de su casa, así como a su mujer, y le esposaron enseguida (espero que en menos tiempo del que le hizo falta para arrancarme de mi bici dos meses y medio antes).

En la sede de la gendarmería de Charleroi, yo aún desconocía ese detalle. Seguía aturdida, pero lúcida.

Nos preguntaron si queríamos ver a un médico. Me negué: ¡no estaba enferma!

–¡No, no! Yo lo que quiero es comer, beber, lavarme. Y quitarme esta ropa repugnante. ¡Y quiero ver a mis padres!

–A tu padre le acaban de avisar, está en camino; le hemos dicho que te traiga ropa.

Los investigadores se extrañaron mucho de mi reacción. Más adelante me contaron que «salí de allí» con una energía sorprendente para mi edad. Es posible. No me di cuenta, ¡siempre fui impaciente!

Lo único que quería era volver a mi casa, sin más, y lo más rápido posible.

Pero tuve que esperar; mis padres vivían lejos. Me habría gustado que las cosas fueran todavía más rápido. ¡Estaba tan contenta!

7

EL «GRAN» RETORNO

Estaba tomándome un chocolate y un gofre. No quedaba gran cosa en la máquina distribuidora de la gendarmería; escogieron lo que más llenaba.

–Te presento al juez de instrucción encargado del caso.

Miré a ese hombre con asombro. ¿Qué quiere decir juez de instrucción? ¿Encargado del caso? ¿De qué caso? Estaba perdida.

–¿Es usted juez de instrucción?

–¡Sí!

Me volví hacia uno de los policías.

–¡Mire, si lleva una camisa hawaiana!

¡No me imaginaba a un juez de instrucción con una camisa de colores! El juez Connerotte iba vestido como si acabara de volver de vacaciones. Nadie esperaba encontrarme con vida después de llevar dos meses y medio desaparecida. ¡Los inspectores me miraban como si acabara de salir del sombrero de un mago!

No lograba entender por qué estaban tan sorprendidos. Había carteles de búsqueda con mi foto y la de mi bici por toda Bélgica, y yo no tenía ni idea. Ni siquiera me creí lo que me dijo Laetitia: «Te están buscando». Y seguía sin asimilarlo. Todo era muy confuso. Estaba fuera, pero ignoraba el cómo y el porqué. Seguía creyéndome la historia que ese cerdo me había metido en la cabeza. Yo no estaba en la de Laetitia, no podía saber qué estaría pensando, pero como las dos le habíamos dicho «gracias» al maníaco ese, con un beso en la mejilla además, era urgente que los inspectores nos pusieran rápidamente al corriente de todo.

No recuerdo exactamente los términos que emplearon, pero fue algo así:

–Os ha contado mentiras. Os ha estado engañando. No es vuestro salvador. Hace tiempo que sospechábamos de él; es un reincidente, tiene un pasado muy cargado. Está en la celda de al lado.

Esa frase, «os ha estado engañando», entró en mi cabeza como una flecha envenenada. El castillo de cartas se derrumbó. Me lo había «tragado» todo, convencida de que ese sádico no mentía. Me había metido miedo a cerca de mí, de mis padres, me había estado haciendo «eso» ¿simplemente para hacerme daño?

De nuevo, mi reacción les sorprendió.

–¿Ah, sí? ¿Está en la celda de al lado? ¡Pues quiero verle! ¡Y decirle unas cuantas cosas!

–¡No, no, tranquila!

–Le he creído como una idiota. ¡Incluso le he dado las gracias a ese cerdo!

Eso era lo peor. Si hubiera podido dar marcha atrás, habría borrado ese estúpido «gracias».

Estaba furiosa, dispuesta a abalanzarme sobre él si los inspectores me hubieran dejado hacerlo. Y le hubiera llamado «cabrón», eso seguro.

Si en ese momento hubiera podido decirle: «¡Después de todo lo que te has reído de mí, ahora vas a ver!

Ahora el que se va a pudrir en la cárcel eres tú, ¿qué te parece?», habría sido un alivio. Estaba en plena forma, probablemente demasiado, y superada por los acontecimientos. No tenía más que doce años y muy «mal carácter». Y reaccioné como si una amiga del colegio me hubiera jugado una mala pasada. ¡Quería insultar a ese sádico, decirle cuatro verdades, resolver yo misma el asunto!

Estaba iracunda y eufórica al mismo tiempo. No sabía si reírme o llorar. Se me agolpaba todo en la cabeza. Pensaba en todo al mismo tiempo, en lo que iba a hacer los días siguientes, en mi casa, en mis padres, en el colegio que empezaba dos semanas más tarde. Volvía a casa; era formidable. Pero mis padres, mi familia, ¡estaban a punto de llegar! «¿Qué van a decir? ¿Qué les voy a contar?»

Ya se lo había contado todo en mis cartas, ¿las habrían recibido?

Me es difícil, años más tarde, analizar con detalle los sentimientos que me asaltaron entonces. Culpabilidad, vergüenza de lo que había tenido que soportar, rabia, alegría de estar fuera... una mezcla infernal que me impedía hacer balance de la situación. Reaccionaba como podía a todas esas contradicciones, instintivamente.

Los inspectores me dijeron:

–No te preocupes, no te hagas muchas preguntas por ahora. Cuando estén aquí, ya verás.

Y entonces me anunciaron que mi padre venía solo.

–Y mamá, ¿dónde está?

–Tu padre no ha querido que venga. No sabía en qué estado estarías, así que la ha dejado en casa.

Aquello no me gustó. Me dicen que voy a ver a mis

padres y luego sólo viene uno; ¿por qué se preocupan por mi estado? Pues ¡que le den a mi estado! ¡Debería estar contenta de volver a verme! ¿Por qué la deja plantada en casa?

Además, todos pensaban que estaba loca o enferma, ¡querían que me viera un médico! ¡Dejaban a mamá en casa!

Cuando llegó mi padre, tuve ganas de echarle la bronca por venir solo, pero le dije que estaba contenta, que acababa de comer, que qué genial y que ya era hora de que nos fuéramos porque estaba harta. Y él venga a hacerme preguntas. No había manera de hablar, porque todo el mundo discutía al mismo tiempo, él, yo, los inspectores...

Me emocioné. Lloré al echarme en sus brazos. Quería irme. Estaba harta de todo ese follón. Estaba fuera, el resto me daba exactamente igual. Me dio ropa. Fui al servicio con una asistenta social para lavarme un poco la cara y cambiarme. Laetitia hizo lo mismo por su lado. Se reunió con sus padres. La vida «normal» volvía a su cauce para ambas.

Después, empecé a tirarle a mi padre de la manga.

–Bueno, venga, vámonos, no me quiero quedar más aquí.

Pero un inspector había recibido una llamada diciendo que mi madre estaba llegando en coche con una compañera de trabajo; tenía tantas ganas de venir que no atendió a razones. Me puse muy contenta cuando llegó, pero pronto la situación se saturó. De hecho, me sentía asfixiada desde que había llegado al despacho de la gendarmería de Charleroi. Me habría gustado salir corriendo. Y mamá se abalanzó sobre mí:

–¿Estás bien? ¿Cómo te encuentras? ¡Lo hemos pasado tan mal! ¡Te hemos buscado tanto!

–Yo creía que no me estabais buscando. Estaba allí, yo sola, sin señales de vida.

Ya ni me acuerdo de lo que me dijo. No paraba de preguntarme: «¿Estás bien?». «Sí, estoy bien.»

Estaba entera, era lo esencial. No muy en forma quizá, pero sin nada grave... qué otra cosa contestar sino «sí, estoy bien».

Pensaba: «Que volvamos ya, que no se hable más del asunto, que me dejen en paz por lo menos esta noche, quiero dormir en mi verdadera cama».

Supongo que todo el mundo esperaba a encontrarse con un guiñapo, con una pobre chiquilla llorosa y asustada. Pero yo ya había llorado y sufrido bastante encerrada en ese zulo. Los adultos veían las cosas de otra manera. Yo era una de las víctimas de un sádico de gran envergadura. Ellos sólo veían eso: los malos tratos. Y yo no quería volver a pensar en ello. Me había salvado de la muerte, estaba viva... Se acabó el miedo y se acabó el dolor, eso es lo que me decía a mí misma. Ahora a recobrar mi vida de antes cuanto antes: mi cama, mis muñecos, mis costumbres.

Nos marchamos los tres, con uno de los inspectores de Tournai, en un coche de policía camuflado. Al llegar al intercambiador de Tournai Kain, el famoso puente bajo el cual pasé el 28 de mayo por la mañana para ir al colegio, vi una banderola: «Bienvenida». A los vecinos les dio tiempo a confeccionarla. La noticia de mi liberación se propagó por todo el barrio como un reguero de pólvora y no me lo esperaba. Una muchedumbre se dirigía a pie hacia la urbanización donde yo vivía. La entrada estaba bloqueada. Había coches por todas partes. Era una fiesta gigante; estaban quemando todos los carteles de búsqueda. Yo estaba angustiada y nerviosa; ese ajetreo me asustó un poco. El coche de policía no podía avanzar en medio de la multitud de vecinos y de periodistas con sus camiones y sus parabólicas.

Ni siquiera alcanzaba a ver la fachada de ladrillo rojo de mi casa. Empecé a sofocarme. No me gustan las multitudes. En medio de ellas, siempre me he sentido prisionera. Ese derroche de entusiasmo me resultaba abrumador. Tan sólo pregunté:

–¿Qué pasa? ¿Quién es toda esa gente?

–¡Llevamos ochenta días buscándote, es normal que quieran celebrarlo!

Ignoraba que toda esa gente supiera que yo había desaparecido. Que me habían buscado sin tregua, organizado batidas, dragado el río, que los gendarmes habían sobrevolado toda la región en helicóptero. Que habían creado una célula especial encargada de investigar la desaparición de niñas en Bélgica. Julie y Melissa, ocho años, An y Eefje, diecisiete y diecinueve años, y otras más. Desconocía la enorme repercusión que había tenido la detención del monstruo de Bélgica. Los padres habían estado buscando a sus hijas, y el colmo es que yo misma había visto los carteles de Julie y Melissa en casa de una amiga antes de desaparecer. Todo el mundo me había estado buscando, ¡y estaba viva!

Reinaba una auténtica psicosis, que se agravaría con el arresto de «el hombre más odiado de Bélgica». Sacudiría el país entero, provocaría conflictos políticos, dimisiones, apartaría a algunos inspectores, al juez de la camisa hawaiana que acababa de conocer, ¡incluso a Michel Demoulin, mi salvador! Y me colocaría, años más tarde, en el seno de una gigantesca polémica. La testigo de las fechorías de un psicópata cobarde y mentiroso que atormentaría a miles de personas y llenaría kilómetros de papel de periódico.

Yo sólo sabía de mi historia, y un poco de la de Laetitia. Y continúa siendo así.

Me sentía culpable por haber pedido una «amiga». Durante mucho tiempo me dije que merecía estar en el mismo saco que ese canalla, aunque supiera que no había sido culpa mía.

Fue él el que la traumatizó, no yo. Pero fui estúpida por no imaginarme que le haría lo mismo que a mí. Estaba tan harta de estar allí encerrada con él, harta del cuarto del calvario, harta de mi cautiverio en ese zulo, que no se me pasó por la cabeza que fuera a hacer semejante cosa.

Le dije a los inspectores que se lo había pedido yo. Pero enseguida se dieron cuenta de que estaba tan manipulada que no podía ni siquiera sentirme culpable. Sin embargo, esa culpabilidad ya me rondaba la cabeza. He intentado deshacerme de ella diciéndome: vale, se lo pedí yo, pero el que le hizo daño fue él, y si no se lo hubiera pedido, yo ahora estaría muerta, ¡y él habría seguido haciendo de las suyas! Pero nunca me la quitaré del todo de encima. Laetitia lo sabe, pero creo de veras que me guarda rencor, aunque nunca me lo haya dicho, quizá para no hacerme daño. Ella sabe que yo también arrastro un gran dolor..., o quizá no me guarde rencor, eso espero. Hablamos de ello durante el juicio. Lo sentía mucho por ella, pero de no haber sido ella, habría encontrado a otra. Y, al final, Laetitia nos salvó a las dos.

Al volver a mi casa aún no era consciente de ello; no estaba aún muy definido, pero ya tenía sentimiento de culpa, e iba a tener que convivir con él, además de con todo lo otro.

Se me hacía muy raro ese ambiente festivo en mi barrio. Acababa de salir de un agujero infecto, donde ese desgraciado me había estado lavando el cerebro con sus patrañas de rescates, de muertes, de padres que te abandonan... ¡y ahora me hallaba de repente en mitad de un barullo de gente que me había estado buscando durante todo ese tiempo! No conseguía conectar las dos imágenes. Lo único que tenía perfectamente claro es que me había tragado todo lo que ese miserable me había dicho. Y me moría de rabia. En brazos de un policía atravesé los rosales de mi casa. Saludé a mucha gente, sin ni siquiera saber quiénes eran. Y cuando añadí ese «os he echado de menos» que recogieron todos los medios de comunicación, no iba a dirigido a nadie en particular. Era en general. Había echado de menos la vida.

Al llegar delante de la puerta de mi casa, reconocí a mis amigas del barrio. Mi hermana me sacó en volandas de los brazos del policía. Oía voces, gritos de alegría, palabras a raudales, pero, en el umbral de la puerta, vi a mi abuela esperándome. Mi Bonne Maman. Me susurró al oído, como un pequeño soplo de felicidad, sólo para mí:

–Me alegro de verte.

Me emocioné más en sus brazos que en los de mi padre cuando llegó a la gendarmería de Charleroi. Bonne Maman encarnaba la solidez, la certeza de ser amada sin condiciones.

La casa estaba llena de familiares. Tan llena que ni siquiera pude sentarme en el sofá, no quedaba sitio. Me senté en el suelo, cerca de la mesa del salón. Me puse a preguntar por todo el mundo, intentando ignorar, incluso cortar, como se corta en el montaje de una película, todo lo relativo a mi persona. No quería «contárselo» ni a mi familia. Que se enteraran después por la prensa, me daba igual.

Subí a mi habitación, que compartía con una de mis hermanas. Fui a ver mis muñecos. Como seguía habiendo tanta gente delante de mi casa celebrándolo y quemando los carteles, me fui a mirar por la ventana del cuarto de baño, apartando ligeramente la cortina, sin encender la luz. Dirigí un pequeño saludo a la multitud y se pusieron a aplaudir como locos. Y ahí me derrumbé a llorar yo sola.

Era increíble ver a toda esa gente aplaudiendo, sin apenas verme. Tan sólo una sombra en la ventana. Daba miedo. Era demasiado.

Me quedé mucho tiempo metida en la bañera antes de acostarme. Qué bien olía al salir, qué felicidad. Por fin estaba en paz y con la firme intención de seguir estándolo. Abrí mi armario, miré mi ropa, comprobé que mis almohadones seguían ahí, que todo estaba en su sitio. La habitación de mis padres, la de mi otra hermana. En el salón, vi objetos nuevos, lámparas, cojines. Los habían comprado durante mi ausencia. Tuve una sensación rara. No lo analicé verdaderamente en ese momento, simplemente me chocó.

«Anda, todo esto lo han comprado mientras yo estaba en ese inmundo agujero...»

Los primeros días me daba miedo salir para ir a ver a mis amigos. Miedo de las miradas y de las preguntas. Nada de esto ha ocurrido, no hay preguntas que valgan. No eran tontos, aunque fueran pequeños. A decir verdad, mis amigos comprendieron mejor que los adultos lo que yo podría estar sintiendo. Tuve un *shock* al ver mi foto y la de Laetitia en los periódicos, y los titulares: «¡Al fin liberadas!». «¡Están vivas!» Se resumía también todo lo que habían hecho hasta encontrarnos, mientras que yo desconfiaba de mis padres, sin decírselo en mis cartas, y padecía creyéndome todo lo que me contaba ese cerdo. ¡Me sentía tan estúpida, tan humillada por haberme tragado semejantes patrañas!

El 16 de agosto, hubo un auténtico desfile en mi casa. Vino un montón de gente a traerme regalos, flores, y se organizaron unos fuegos artificiales en mi barrio. Estaba contenta, me hacía ilusión, pero seguía encerrada, acosada por los eternos: «¿Estás bien?». «Sí, estoy bien.»

El 17 de agosto por la mañana, vinieron los inspectores a casa para tomarme declaración. Esa misma tarde, nos enteramos por las noticias de que habían descubierto los cuerpos de Julie y Melissa en el jardín de una de las casas de ese cerdo, en Sars-la-Buissière. Las dos niñas que llevaban desaparecidas desde el mes de junio de 1995.

Las cámaras de televisión filmaron sin tapujos las excavadoras y los agujeros en el césped. Me faltó poco. Podría haber sido yo. Y más adelante Laetitia.

Tenía necesidad absoluta de cortar con todo eso. Con ese miedo a la muerte con el que malviví durante más de dos meses. Pero esa realidad, esas crueles imágenes me retrotrajeron al zulo; empezó a flaquearme el ánimo y tuve que luchar para no venirme abajo.

Por la mañana, me había resultado duro contestar a las preguntas de los inspectores. Pero era necesario que lo hiciera antes de que se me olvidaran muchas cosas. Hubo momentos en que me sentí molesta. Se dieron cuenta y fueron pacientes.

–Cuando estés harta, nos lo dices, hacemos una pausa, y volvemos a empezar. No estamos aquí para molestarte, sino porque es necesario. No has de sentirte incómoda, nada es culpa tuya, y cuanto más nos digas, más útil nos será.

El otro, el miserable, estaba en pleno interrogatorio; no iba a dejarle contar más mentiras aún. Entendí perfectamente que debía contarlo todo antes de que se me olvidaran detalles importantes para los inspectores. Esa gente había «cazado» al monstruo, nos había arrancado de sus garras, confiaba plenamente en ellos. A ellos podía y debía contarles todo. A nadie más. No quería ver a ningún médico, pero no tuve más remedio que hacerlo. Por el sumario.

Pero por la noche, aquellas imágenes fueron demasiado. Al día siguiente, tuve necesidad de huir, de ir a ver a mi amiga de al lado o de refugiarme en mi cabaña, aprovechar los últimos días de vacaciones que me quedaban antes de volver al colegio. Tuve que dar algún puñetazo en la mesa para que me dejaran ir a casa de mi amiga. Había tres metros entre su casa y la mía.

–No salgas, ten cuidado.

–¡Pero si no me va a pasar nada! Es de día, hay gente en la urbanización, hace bueno, hay uno cortando el césped... quiero salir.

Ya no tenía miedo; quería recuperar mi vida de antes. Los vecinos del barrio me regalaron una bici y quise utilizarla para ir al colegio, pero por supuesto no me dejaron.

–¡No, no vas a ir sola al colegio! ¡Al menos no de momento!

–¡No voy a dejar de ir al colegio en bici por lo que me ha pasado! ¡Si vuelve a ocurrir, será que de verdad no tengo nada de suerte!

Al principio, me volví un poco desconfiada. Cuando alguien andaba detrás de mí, tenía la sensación de que me estaba siguiendo, de que iba al mismo sitio que yo. Quería verle la cara. Aunque se tratara sólo de algún vecino que iba a la panadería, me decía que más me valía tener grabada su cara, por si acaso. Era buena observadora. Pude describir perfectamente, por ejemplo, los detalles del secuestro, al mequetrefe de la gorra, su cazadora. La casa, las habitaciones, todo cuanto vi u oí estaba grabado en mi mente. Tengo buena memoria para los detalles.

Ya antes de aquello, retenía con facilidad las matrículas de los coches, los números de teléfono: era como un juego inconsciente. Después, si por ejemplo veía una camioneta, me fijaba enseguida en la matrícula, aunque no fuera sospechosa, aunque fuera la del vendedor de helados. Me fijaba más, pero eso era todo. Quería llevar una vida normal, tampoco hacía falta que me volviera completamente paranoica.

No iba a ponerme a correr detrás de todas las niñas con las que me encontrara para decirles que tuvieran cuidado y advertirlas... ¿de qué?

Uno siempre tiende a pensar que esas cosas sólo le ocurren a los demás, pero le puede pasar a cualquiera. Te puede pasar al cruzar la calle. La pequeña Loubna, por ejemplo, que fue a comprar al supermercado pasando por la gasolinera, ¿quién podía imaginarse que un canalla la iba a secuestrar en la gasolinera misma? ¿Y que no la encontrarían hasta muchos años después? Nadie. ¡Nada puede poner a un niño a salvo de un canalla! Yo simplemente me dirigía al colegio. Nunca llegué. ¿Quién podía haberme avisado? Nadie. No recuerdo cuándo volví otra vez a ir sola en bici al colegio, pero sí que lo reclamé bastante pronto. Mi hermana me acompañó algunas veces, pero ya lo hacía «antes». A menudo salía antes que ella y luego me alcanzaba por el camino.

Pero en mi casa se pusieron a protegerme demasiado, sobre todo mamá. Y yo lo llevaba mal.

Todos los vecinos de la urbanización tenían miedo, ¡los niños ya nunca salían! Yo no quería que hubiera psicosis en la familia. No quería contarles nada, ni que mamá leyera las cartas que escribí en el zulo. Los inspectores sí, el juez sí, más adelante en el juicio sí. Pero ella no lo entendía.

–¡Al fin y al cabo, las escribiste para mí! ¡Tengo derecho a leerlas!

Yo quería olvidar, rehacerme, y sobre todo no tener que sumergirme todos los días en esa historia. Pero al principio fue difícil. Fui una vez al médico, para que tomara unas muestras o algo así, porque lo había «ordenado» el juez, pero me negué. Unos días después, vinieron a tomar muestras de mi cabello para controlar el rastro de los somníferos y las porquerías que me dio el tío ese. Pero la dosis fue tan floja que algunos insinuaron después que no pudo haberme trastornado, ¡y, a pesar de todo, este hombre tuvo que venir a testificar en el juicio para decir que no había sido para tanto!

El alcalde vino a verme a casa. Aproveché para pedirle que pusiera alumbrado público en la famosa calle del estadio donde fui secuestrada. Por ahí pasaban muchos niños mañana y tarde. Dos o tres semanas después, había luz. ¡Hizo falta que me pasara eso!

En el segundo interrogatorio, volví a ver al inspector Michel. Fue él el que obtuvo la confesión del monstruo. El que consiguió sonsacarle. Me debió de contar algunas cosas, que rápidamente olvidé puesto que quería olvidarlo todo. Salvo que él era mi auténtico «salvador». No fue hasta después del juicio cuando me explicó un poco su método para conseguir una confesión de culpabilidad: ese inútil era tan pretencioso que Michel lo embaucó precisamente por su vanidad. Llevaba un buen rato intentando sonsacarle. Su cómplice, un drogadicto, le había delatado, así que el muy imbécil ya estaba acorralado. Michel me dijo que llegó un momento en que lo tenía «a tiro», así que le hizo concebir esperanzas diciéndole que sin su «ayuda» nunca conseguiría nada, porque el otro ya le había delatado. Y que entonces «sintió» que el monstruo iba a soltar algo, hacerle una especie de «regalo», como para seguir «dominando» la situación. Le estaban interrogando sobre el secuestro de Laetitia, que no podía negar puesto que había testigos. Y de repente anunció, con aires de gran señor:

–¡Le voy a entregar a dos niñas!

Michel me dijo:

–Me extrañó, estábamos buscando a Laetitia, así que ¿por qué había dicho «dos»? Entonces me di la vuelta; había una foto tuya en el local donde le estaba interrogando. Le pregunté si eras tú, contestó que sí y que Laetitia no estaba sola, que nos iba a dar las llaves de su casa de Marcinelle y que nos iba a mostrar él mismo dónde os tenía escondidas.

Supongo que ese creído debió de explicarles que él era el único que podría hacernos salir de ese agujero porque no nos atreveríamos si él no estaba allí... ¡puesto que sus víctimas reaccionaban con su «voz»!

Pasaron muchos años antes de que volviera a ver a Michel Demoulin, porque me mantuve voluntariamente al margen de ese tremendo caso que fue tomando proporciones inconcebibles. Michel fue retirado de la investigación y me pareció lamentable. Admiro a ese hombre, su trabajo, su imparcialidad y su rigor. Forma parte de los que consideran que ese canalla es un psicópata vanidoso y un manipulador. Michel no le hizo el juego, se lo descubrió. Ese monstruo no es, como intenta hacer creer, un pobre eslabón de una supuesta red de prostitución cuyos responsables son nada menos que los más altos cargos del país. Miente tanto como respira, sostiene teorías tan lamentables como él mismo, y espero que se pudra lentamente con ellas. Cuando pienso que tiene hijos, que su mujer fue su cómplice, que ella tardó años en confesarlo, cuando había niñas muriéndose en soledad y otras enterradas en su jardín... Esas personas no son personas. No sé lo que son. Él se llama Marc Dutroux, ella Michèle Martin, pero para mí son innombrables.

Ese canalla actuaba desde los años ochenta. Se le condenó a trece años de cárcel por violación y perjuicios diversos, pero fue liberado el 8 de abril de 1992 por «buena conducta», sin que el psicólogo de la prisión y el procurador estuvieran de acuerdo...

Y él se juró que volvería a las andadas y que no le cogerían. Lo hizo durante cuatro años, con la ayuda de esa mujer y de un drogadicto totalmente colgado. Para los especialistas, es oficialmente un «psicópata».

A los doce años yo no sabía lo que era, incluso a los veinte sigo sin entender cómo funciona por dentro un psicópata. Lo único que sé es que quería volver a verlo algún día de frente, mirándole a los ojos. Me lo impidieron con doce años, supongo que para protegerme. Tuve que esperar ocho años para poder hacerlo.

Y fue él, ese «cabrón», el que bajó los ojos.

8

PEQUEÑA TERAPIA PERSONAL

El juez de instrucción quería que fuera a ver a un psicólogo; recuerdo vagamente unos dibujos raros que, supuestamente, tenían que hacerme reaccionar. Era ridículo, yo no tenía nada que contar. Y después me negué a seguir yendo. No quería hablar de ello. Sucedió, sí, nunca podré borrarlo de mi mente... Punto. No me iba a servir de nada estar hablando de ello durante años. Estaba hecho, no tenía remedio. Tenía muchas cosas en la cabeza, pero si hubiese dejado que hurgaran dentro, probablemente me habría vuelto loca a golpes de «cómo» y «por qué».

Se pensaban que estaba enferma. Seguramente estaba conmocionada, pero no enferma. Dijeron de mí: «Tiene los pies en la tierra». Quizás a veces demasiado. Pero es así. Quería volver al colegio con toda normalidad. Uno no puede curarse nunca de ese tipo de cosas; más vale hacerse a la idea y apañárselas solo. Eso nadie lo entendió.

Necesitaba atrincherarme. Mi abogado fue el único que se dio cuenta. Y eso que, en esa época, no era yo la que iba a verle, puesto que era menor. Mis padres y mis hermanas estuvieron yendo al psicólogo durante años. Pienso que ellos eran los que más lo necesitaban.

Yo no podía hablar con ellos, de hecho no tenía a nadie con quien desahogarme. Las amigas de mi edad no lo habrían entendido. Mis amigas de entonces tenían la mentalidad de niñas de doce años, yo tenía una edad mental de dieciocho. No necesitaba a nadie. Tenía que salir adelante yo misma.

Hice una terapia yo sola. Cuando me venían imágenes a la mente, intentaba desconectar y pensar en otra cosa, y lo sigo haciendo. No soy narcisista, pero cuando me cepillo el pelo delante del espejo o me maquillo, suelo hablar conmigo misma. A veces en voz alta, a veces en silencio si hay alguien en casa. Me dirijo a mí misma como si tuviera a otra persona enfrente, y me contesto. Si me entra un bajón, me las arreglo sola. Con la distancia de los ocho años que han transcurrido, sé que los bajones no sirven para nada. La culpabilidad tampoco. Hay que desmarcarse, decirse que lo que ha sucedido no volverá a suceder jamás; en fin, eso espero.

«Lo has superado bien, no es momento de tambalearse.»

Al principio, lo único que quería es que me dejaran en paz. Estaba en mi burbuja, empezando a fabricarme una armadura. No quería preguntas ni dar respuestas. Cuando salía algún reportaje en la televisión, me negaba a verlo, hacía como que no me interesaba, y si me entraban ganas de leer el periódico a las tres de la mañana, o de ver aquello que no había visto, lo hacía a escondidas. Era la mejor manera de evitar que los demás me hicieran preguntas sobre el reportaje o la veracidad de los hechos. Por suerte, unas almas caritativas me obsequiaron con la independencia que tanta falta me hacía. Un cuarto para mí sola, en el ático de casa, con una televisión y todo lo necesario. Podía aislarme, mirar «mi» televisión sola, pensar en lo que quisiera y no decir nada si no tenía ganas; estaba en paz. Y si me preguntaban: «¿Has visto las noticias?», contestaba: «No, ¿por qué? Estaba viendo una película». A veces, era verdad.

Me costó bastante, sobre todo al principio, mantenerme al margen. Entre el 15 y el 17 de agosto, descubrieron los cuerpos de Julie y Melissa. Me enteré de que se murieron mientras ese desgraciado estaba en la cárcel, de que su mujer, que tenía que haberles llevado agua y alimentos, tuvo «miedo» de levantar la puerta del zulo, de que Julie escribió su nombre en una de las paredes de aquel cuchitril en el que yo misma podía haber muerto. Pero estaba casi borrado y nunca lo descubrí. Al salir de la cárcel, al monstruo sólo se le ocurrió una cosa: enterrarlas en su jardín.

El 3 de septiembre, la investigación reveló dos muertes más. Los cuerpos de An y Eefje fueron encontrados en un chalé perteneciente a su cómplice de estafas, y el cadáver del cómplice también. Las enterraron dormidas pero vivas; al cómplice también.

Con cada uno de esos descubrimientos, me imaginé a mí misma terminando igual. ¿Dónde me habrían encontrado? ¿En qué jardín?

Incluso en el juicio, no quise escuchar esa parte del debate. Yo había sobrevivido y para los otros padres era muy duro verme de pie, vivita y coleando. Ser la superviviente de una masacre tampoco es fácil de llevar.

Mientras tanto, en casa vivía con la presión de esa perpetua asfixia: «No salgas sin tu hermana, no vayas sola a la tienda, no vas a ir sola al colegio en bici...». Ya no podía más, tenía ganas de gritar: «¡Dejadme en paz, dejen de hablar de ello en la tele, dejen de marearme con eso, de sacar titulares en los periódicos! ¡Déjenme ir al colegio, vivir mi vida, que los adultos se las arreglen con el monstruo y las indagaciones!».

Desgraciadamente para mí, sólo se oía hablar de eso.

En el colegio, era perfecto. No me hicieron pregunta alguna porque el director les dio una pequeña charla y vino a verme antes de que empezara el curso.

Me preguntó:

–¿Cuándo quieres volver al colegio?

Le contesté:

–El 1 o el 4 de septiembre, cuando empiece.

–¿Estás segura? ¿No quieres pasar más días en tu casa? No has tenido vacaciones.

–No, porque estaría marcando una diferencia si empezase después que los demás.

Me angustiaba todavía más la idea de empezar más tarde, me imaginaba a toda la gente mirándome. Como a la nueva que llega de no se sabe dónde.

Me enteré de que pasaba a segundo año, yo que creía que tendría que repetir primero... Me alegré. Y no tuve ningún problema. Los niños son más respetuosos entre sí. En su mundo, todo es más sencillo. No se habla de las cosas que son molestas. Ya se habían enterado de bastantes cosas por los periódicos, los padres, la tele. Y se dieron perfectamente cuenta de que yo quería vivir mi vida y distanciarme de esa historia. A pesar de todo, mi clase quiso hacer una fiesta a finales de agosto y me negué. Comprendía por qué querían hacer esa fiesta. Ellos también habían estado buscándome. Me regalaron un cartel de desaparecida firmado por todos. Se alegraban de volver a verme. Pero yo no consideraba mi vuelta al colegio como una fiesta. No quería ver a tanta gente. De todas formas, íbamos a pasar el año juntos, me iban a ver todos los días; si querían hablarme de lo que había pasado durante mi ausencia, tendrían tiempo de hacerlo. Ahora ya podían estar tranquilos: no había vuelto llena de cicatrices ni de cuchilladas en la cara, estaba viva y entera. Algunos me dijeron:

–Te estuvimos buscando por todas partes, y resulta que no estabas tan lejos.

–Sí, da rabia, pero qué le vamos a hacer.

No me iba a poner a explicarles cómo era la casa, el zulo y todo lo demás. Si se enteraron de los detalles fue por la prensa. En cualquier caso, a mí no me preguntaron nada, aunque lo sabían todo. Los profesores tampoco me preguntaron nada.

Al principio, venían periodistas a filmar delante de mi casa, pero yo no salía nunca. Mi padre se ocupaba de ellos. Enseguida se dieron cuenta de que queríamos vivir lo más discretamente posible, porque nuestro abogado no tardó en dejar las cosas claras: «Déjenles en paz». Pero un día estaba delante de casa con mi perro, barriendo la nieve, y vi, a unos tres metros de mí, a un tipo con una cámara. No le di mucha importancia, ¡me pregunté qué interés podía tener filmar a una niña barriendo la nieve con una escoba!

Por la noche, cuando vi las imágenes en la cadena regional, me moría de risa. Se veía sobre todo a mi perro metiendo el morro en la puerta. Hacía un poco de viento y, como *Sam* es un cocker un poco contrahecho, las orejas se le levantaban con el viento. Grabé la reedición de las noticias sólo para quedarme con las imágenes de *Sam*. Estaba monísimo.

Más adelante, en 1998, un profesor o un alumno, no recuerdo quién, me dijo:

–¡Se ha fugado! ¿No tienes miedo?

Al principio creí que era una broma, pero cuando vi aquel helicóptero dando vueltas por encima del colegio, me dije que debía de ser verdad. No niego que en algún momento sentí miedo al enterarme de que andaba suelto. La gendarmería vigiló el colegio y los alrededores, pusieron incluso algunos hombres haciendo guardia en mi casa. Cuando volví del colegio, ya se habían marchado, porque «la gran escapada» había terminado.

Me enteré de los detalles de su ridículo intento de fuga por el periódico, como todo el mundo. Estaba en el Palacio de Justicia de Neufchâteau para consultar «su» expediente. Golpeó a un gendarme, le dio a otro un empujón para robarle el arma, ¡que al parecer ni siquiera estaba cargada! Robó un coche, le persiguieron y acabó, de la manera más tonta, empantanado en un bosque. ¡Lo sacó de ahí un guarda forestal!

En la foto parece un idiota, ¡con la cabeza metida en los arbustos y los brazos en el aire!

Pensé: «Desde luego, como no le vigilen mejor, ¡lo llevamos claro para cerrar el caso!».

Todos los medios de comunicación del país estaban desatados y decidí atrincherarme al máximo. Mis padres le dijeron al abogado: «Nada de prensa; quiere que la dejen en paz». Y lo conseguí, al menos a ese nivel. Además, al ser menor, no tenía que andar metida en el sumario, ni iba todavía a ver a Maître[1] Rivière, nuestro

1. Título que se da en los países francófonos a los abogados, procuradores y notarios. *(N. de la T.)*

abogado defensor. Si me hubiera llamado un día diciéndome: «Necesito que tú, y no tus padres, me informes sobre tal o cual cosa», lo habría hecho. Pero nunca me lo pidió, porque no le hizo falta. Todo lo que yo podía contarle figuraba ya en las cartas, de las que, afortunadamente, encontraron algunas.

De este modo, en mi entorno se guardó silencio. Nada de hacer declaraciones o entrevistas, nada de periodistas. Mi padre accedió, sólo al principio, a hablar con un periódico local, y después a mí y a mi familia nos dejaron en paz. Hubo algunas imágenes de la «pequeña Sabine» volviendo a su casa, con su familia, pero eso fue todo. Pasó mucho tiempo sin que vinieran a merodear los fotógrafos.

El 20 de octubre se anunció la «marcha blanca», en homenaje a las niñas muertas o desaparecidas. La madre de Elisabeth Brichet fue la que la organizó, y estaban los padres de Julie, los de Melissa y los de An. Los de Eefje se mostraron más discretos y no recuerdo si participaron o no. Elisabeth tenía doce años cuando desapareció, el 20 de diciembre de 1989. En la época de la marcha blanca, todavía no se sabía qué había sido de ella. Su cuerpo no fue descubierto hasta 2004, quince años más tarde y tras el arresto de Fourniret, el otro depredador, de nacionalidad francesa pero que también buscaba a sus presas en Bélgica. Elisabeth estaba enterrada en un castillo del norte de Francia.

El eslogan de la marcha blanca era: «Nunca más». La gente acudió también para protestar por la retirada del caso del juez de instrucción Connerotte, al que todo el mundo consideraba eficaz. Una medida disciplinaria que se llamó «el arresto de los espaguetis». El juez había accedido a cenar con las familias de las víctimas. Yo también le vi, por casualidad, un día que fui a casa de Laetitia, pero ¡ni siquiera hablé con él! Sea como fuere, el juez fue acusado de «parcialidad» ¡por haber compartido unos espaguetis con las partes civiles! Nosotros queríamos mucho a ese juez de la camisa hawaiana... hacía un buen trabajo. Pero el juez Langlois, su sustituto, también dio la talla, por mucho que dijeran algunos para satisfacer sus propias tesis. Yo era demasiado joven entonces para comprender los entresijos del sistema judicial.

En cuanto me enteré de lo de la marcha blanca, quise ir. Mi abogado me lo recordó hace poco, porque se me había olvidado completamente.

–Fuiste tú la que quisiste participar. No fueron tus padres. Ellos, en cambio, quisieron evitarte ese estrés, por la multitud de gente que iba a ir y la presencia de medios de comunicación del mundo entero. Y tú les contestaste: «¡Si queréis impedírmelo, no tenéis más que encerrarme en el sótano!».

No hacía más de dos meses que acababa de salir de uno, pero como toda mi clase iba a participar en la marcha, mis padres cedieron y fuimos todos juntos: mi familia, mis amigas del barrio, los vecinos... ¡Hubo más de trescientas mil personas ese día en las calles de Bruselas! Yo fui para rendir homenaje a las demás víctimas, las que estaban muertas.

Al final me arrepentí de haber tomado esa decisión. Enseguida empecé a sentirme asfixiada por la cantidad de gente que había. Una enfermera del Samur no me quitaba ojo:

–¿Quieres un respirador o una pastilla?

Yo no quería nada, sólo mantenerme en pie. Estaba sofocada en medio de esa multitud, de esa gente que, al verme pasar, me agarraba como si fuera un animal de circo o me miraba raro. Era raro, en efecto. La marcha se organizó para las niñas muertas o desaparecidas, pero también para nosotras, las dos supervivientes. Teníamos una posición incómoda con respecto a las emociones de las demás familias. Yo estaba viva, lo cual no quería decir que no sufriera por la muerte de las demás. Pero todo ese griterío, toda esa gente que venía a darme besos sin motivo, mirándome como si estuvieran viendo a un fantasma... fue espantoso. Yo no era la heroína de esa macabra historia, ni Laetitia tampoco. No conseguíamos avanzar en medio de esa marea humana. Había furgones de la gendarmería, montones de globos blancos, habían distribuido viseras blancas de cartón y, sobre todo, fotos de las niñas secuestradas. Julie y Melissa, An y Eefje: enterradas. Elisabeth y la pequeña Loubna: desaparecidas. Me sentía muy molesta.

Todas las familias teníamos que reunirnos en el podio, y no había manera. Los gendarmes tuvieron que ayudarnos. Yo no podía más, así que una vez en el podio sólo pude decir unas palabras con voz temblorosa.

Al día siguiente salió una foto mía llorando en un póster gigante dentro de una revista. Yo no había querido eso, no había ido para que «me vieran», ni mucho menos para «llorar» en público. Llorar es una cosa privada. Me volví muy desconfiada con los medios de comunicación. No quería que volvieran a sacarme fotos. No me imaginé que fuera a convertirme en el objetivo de los *paparazzi* y de toda esa gente. Se me hizo insoportable verme en primer plano llorando delante de esa multitud. Pero lo superé y desaparecí definitivamente de la vista.

Para mí era una medida necesaria, pero dio lugar a conjeturas de lo más delirantes: «Ya no sale de su casa...»; «Está muy tocada»; «No debe de acordarse de nada, seguro que la tuvo todo el tiempo drogada»; «La vimos en tal sitio, se la dio a la red de prostitución»...

Tras ese agotador maratón por las calles de Bruselas, tuvimos que ir a ver al primer ministro para participar en una mesa redonda. No me enteré de casi nada; estuve todo el rato hablando con Laetitia. El ministro hablaba con los padres, porque en realidad se trataba de una reunión de adultos. Aquel día, la mamá de Elisabeth Brichet me dio la foto de su hija y me dijo:

–Te pareces mucho a ella, también tenía doce años.

Me sentía molesta delante de ella, viva. Llevaba buscando a su hija desde 1989, siguiendo decenas de pistas que no conducían a nada, sin saber si llevar luto o no, consumida por los altibajos de angustia y de esperanza. Quizás, en aquel entonces, ella pensara que «nuestro» monstruo era también culpable del secuestro de su hija, y que un día, por fin, diría la verdad. No fue así; fue Fourniret, el otro monstruo. No hay escalas de horror con esos psicópatas. Éste las mataba rápido, no las torturaba durante meses antes de hacerlo.

En cuanto al «nuestro», nunca decía la verdad. ¡Él nunca era culpable, siempre lo eran los demás! Julie y Melissa: «¡Yo no las rapté, fue Lelièvre!». (Al parecer, el mequetrefe de la gorra que fue su cómplice en mi secuestro.) «Mi mujer las dejó morirse poco a poco de hambre.»

An y Eefje: «¡Yo no las maté, fue Weinstein! ¡Yo sólo las dormí!».

Weinstein: «¡Yo no lo maté!».

El tal Weinstein (al que yo no conocí) fue encontrado muerto y enterrado al lado de Julie y Melissa. A An y a Eefje las encontraron precisamente en el jardín de Weinstein...

Ésta no es más que una de las versiones que fue soltando a lo largo de la investigación. Aunque su mujer terminó por acusarle directamente, por fin, tras muchos años de sórdida complicidad, él le devolvió el cumplido ¡«suplicándole» que dijera la verdad! Afirmando que él se había «sacrificado» por su familia para protegerla de una supuesta red pederasta.

Esa mujer fue su cómplice, no movió un solo dedo ni derramó una sola lágrima, ¡y eso que lo sabía todo! ¡Que tiene hijos! Otro monstruo en femenino...

El día de la marcha blanca, yo desconocía todo esto, sólo fui a respaldar a aquellos y aquellas que habían perdido una hija, a aquellos que acababan de enterrarla o a los que seguían buscándola, y me vi como una superviviente testigo de sus desgracias. No podía asumir esa nueva forma de culpabilidad, era demasiado. Me habían arrancado mi infancia, ya no era igual que las demás niñas del colegio, inocentes, y a la vez deseaba con todas mis fuerzas recobrar mi anonimato junto a ellas.

La adolescencia, el período entre los quince y los diecinueve años, fue el más duro de vivir. Ya de por sí no es la mejor etapa de la vida, pero además, desde muy pequeña, casi no había habido comunicación con mi familia; sobre todo con mi madre no fue muy fluida. Siempre me sentí aislada, pensaba que mis padres no habían deseado que naciera, que era un «accidente». A lo mejor lo decían en broma, pero yo me lo tomaba al pie de la letra. Mi madre me contó que nací a las tres y media o las cuatro. No sabían la hora exacta porque la habían dormido y mi padre no asistió a la cesárea. Esa inexactitud no me gustaba. Siempre he tenido obsesión por la exactitud. En el zulo, me desfogaba con el despertador, vivía enloquecida por las horas, los minutos, los segundos.

Después, según me dijo mi madre, me metieron en la incubadora porque fui prematura. Al parecer tenía mucho pelo. El relato del acontecimiento terminaba ahí. Y ella ponía cara de estar preguntándose: «¿Qué más quieres que te cuente?...».

Que me quería, por ejemplo. Al menos sí sabía a qué edad había empezado a andar, a hablar... El tipo de detalles que tranquilizan a un niño sobre su existencia. En cambio, me enteré de que, en origen, no estuve sola en el vientre de mi madre. ¡Al parecer había sitio para otro que no se desarrolló! La bolsa estaba vacía.

No le pregunté nada a mi madre sobre ello. No se pregunta por el vacío. Debí de notar ya en esa época que no había que insistir. Era demasiado raro.

Esto no es más que un ejemplo de la distancia que se creó desde la infancia entre mi madre y yo. Quizá por eso soy tan parlanchina y tengo tantos amigos, porque viví mal esa falta de comunicación. Si tengo hijos, espero no cometer el mismo error. Tampoco es que vaya a dárselo todo hecho, pero me esforzaré por contestar a sus preguntas.

Yo quería simplemente que me quisieran y que no me juzgaran. Existir para mi madre. Quizá no tanto como quería a su hija preferida, no habría soportado semejante carga, pero al menos sentirlo de vez en cuando... ¿Hizo falta que desapareciera para que se ocuparan de mí? De repente me convertí en el centro de atención, hasta extremos agobiantes.

En cualquier caso, yo seguí sin ser la preferida, a la que acarician el pelo de noche delante de la televisión, la que saca buenas notas en todas las materias. Yo siempre fui nula en matemáticas. Mi buena memoria para las cifras, los números de teléfono o las matrículas de los coches no me servía de nada en clase de matemáticas.

Odiaba el modo en que mi madre me humillaba constantemente con este tema y con tantos otros. Mis hermanas mayores lo hacían siempre todo bien, y tenía la impresión de que yo no, de que yo era el patito feo, la marimacho. El afecto materno no estaba bien repartido, a mí sólo me habían tocado ciertas atenciones por su parte y al final las cosas quedaron así. Al principio me protegieron sobremanera, después todo volvió a ser como antes.

«¡Mira qué notas! ¡Otro "cate"! ¡Tienes que barrer! ¡Este perro suelta demasiado pelo!»

Y me volvía a ver a mí misma en ese inmundo agujero, pensando en mis suspensos en matemáticas y en todas las cosas de las que me sentía culpable. Me volvía a ver escribiendo: «Prometo que... me portaré mejor, seré más obediente...».

Bastaba con que mi madre me dijera que barriera –era una orden, había que hacerlo ipso facto– para que volviera a acordarme de esa casa mugrienta que «el otro» asqueroso me obligaba a limpiar a cuatro patas con un repugnante trapo viejo y líquido lavavajillas. Tuve que hacer de Cenicienta a la fuerza, en circunstancias que nadie puede imaginar, y ya no soportaba ese tipo de órdenes. No soportaba la autoridad a secas.

De todas formas, las tareas de limpieza nunca me habían entusiasmado. Era demasiado pequeña y consideraba que les tocaba hacerlas a mis hermanas. Pero mi madre no me hacía caso. Me sentía realmente aparte.

De niña, jugaba con coches, me iba a patinar, a hacer *skate-board*, a jugar al fútbol. Solía también ir con mi padre al jardín, a plantar mi pequeño huerto. Me encantan los rábanos... Y tenía mis guaridas: en la cabaña, en casa de mis amigas. En esa época, si mi madre me reñía, ya no me afectaba tanto: me iba a jugar y al volver me ponía un poco de morros, como saben hacer los niños, y luego se me pasaba.

Pero cuando estuve encerrada en casa de ese psicópata, volví a pensar en todas esas cosas. Al mirar mi carné de notas, al contar los días en mi calendario escolar, veía a mi madre, la oía preguntarme: «¿Y este suspenso en matemáticas?». Me acordaba de sus críticas y de sus reproches. Y, sin embargo, era a ella a la que escribía, a la que tenía ganas de ver antes que a nadie. Si «el otro» me hubiera dicho, por ejemplo: «Sólo puedes ver a una persona de tu familia», habría escogido a mamá o a Bonne Maman. Después, en la adolescencia, me dije que, a fin de cuentas, era mejor que no se preocupara por mí. En una familia, la falta de comunicación puede causar grandes destrozos. Y cuando ocurre algo grave, la brecha se hace aún más grande.

Durante los dos años siguientes a mi liberación, aguanté bastante bien la vida familiar.

Después, hubo conflictos motivados sobre todo por mi negativa a ir al psicólogo. De manera que cualquier disputa, fuese por la razón que fuera, solía terminarse así: «¡Ya te advertimos que tenías que ir a ver a un psicólogo!».

No fue fácil sobrevivir en solitario. Si aquel 15 de agosto de 1996 hubiera juzgado conveniente desahogarme contándole todo a mi madre, lo habría hecho. Ahora que lo pienso, quizá tendrían que haberme dejado sola con Bonne Maman ese día. Antes de esos ochenta días de prisión, yo no era verdaderamente consciente de mi enorme falta de cariño. Me hizo falta ese encierro para darme cuenta de ello. Sentir ese «ahora ya es tarde». Tuve que sobrevivir a ese infierno para conseguirlo. Las primeras semanas estuvo bien, pero al final, esa felicidad perfecta, que me había costado tan cara, no duró mucho.

Me dije: «Antes, en esta familia nadie hablaba conmigo, y ahora que he visto la muerte de cerca, todo el mundo se alegra de verme y tengo que hablar con todo el mundo». Inconscientemente, quizá decidiera vengarme, no contándole nada a nadie y no dejando que mi madre leyera las cartas que resumían mi sufrimiento. Como diciéndole: «Tú nunca has querido contarme nada, pues ahora me toca a mí».

Pero la razón más importante de esa negativa es que yo había escrito en la desesperación de mi encierro y de mi soledad, creyendo que no la volvería a ver, y consideraba que leerlas ahora le haría demasiado daño. A ella y a mí, de hecho. Mi madre había estado gravemente enferma, acababa de salir de un tratamiento anticancerígeno muy duro, y me pareció injusto endosarle mis propias desgracias. De hecho ya me resultaba bastante molesto.

Ella tenía que haber entendido que la estaba preservando, y preservándome a mí de paso. En cambio, me dio la impresión de que quería apropiarse de mi sufrimiento, como si lo hubiera padecido ella. Fotocopiárselo de alguna manera. Yo no lograba entender esa actitud, porque ella no podía apropiarse de mi desdicha. Nadie puede. Pueden «fingir» comprender lo que siento, por compasión, pero no lo han vivido en carne propia. Mi familia sufrió mucho, pero de manera externa. Tuve la misma sensación durante el juicio, con el público que asistió a las audiencias como si fuera al teatro. Había gente en la sala y otra en el escenario. Y los que están en la sala no pueden sentir lo mismo que los que están en el escenario.

Algunas mujeres, demasiadas en mi opinión, me han dicho: «Te entiendo». Pero ellas no lo vivieron en directo, yo sí. Y no se puede entender lo que no se ha vivido.

Estoy segura de que todas las mujeres violadas dirían lo mismo. Ya sé que mi madre sufrió, que pasó noches en blanco esperándome y que no tenía buena salud, pero ella no estuvo en mi lugar y, antes de aquello, algo ya se había roto entre nosotras.

Lo mismo que, cuando mis padres se separaron, la pareja ya llevaba rota desde hacía mucho tiempo. Y no fue, como dijeron los expertos psiquiatras, «a causa» de lo que me ocurrió. Mis padres no pueden escudarse en mí para explicar su divorcio. Ni los expertos en sus teorías para explicar mi comportamiento.

Todo el mundo insistió en que fuera al psiquiatra para liberarme de tanto sufrimiento. Y yo repetí cientos de veces que no me serviría de nada.

«¡Lo llevo dentro, y ahí se queda!»

Para mí, hablar no habría consistido más que en «largarle mi desgracia» a otra persona.

Había también, y la sigue habiendo, otra razón que justificaba mi ausencia en ese caso que preocupaba a toda Bélgica: la mirada de los demás.

Cuando era más pequeña, solía pensar: «Me miran raro», y no me hacía gracia. Y es que, pese a todos mis esfuerzos, no conseguía pasar desapercibida. En mi país, todo el mundo estaba al corriente. Y las miradas «raras» son de lo más molesto. O traducen piedad, lo cual me horroriza, o traducen lo que no pueden evitar «imaginarse». Es insoportable. Odiaba expresiones tales como: «Pobre pequeña», o «Sé lo que es...». O peor aún: «Ven, que te doy un beso...».

Si ya para una mujer adulta es muy duro zafarse de la mirada del o de la que «sabe», para una niña de mi edad, perdida como una piedrecita en medio de esa saga de horror que tomó unas proporciones nacionales, políticas y mediáticas tan enormes, resultaba prácticamente imposible escapar de esas miradas, tanto dentro como fuera de casa. Así que me acoracé contra el mundo exterior. Era mi carácter, y la única manera de mantenerme en pie.

La única persona con la que me sentía a gusto era Bonne Maman. Era mi ídolo, mi Buena Mamá. Aunque no siempre le diera muchas muestras de afecto ni fuera a verla muy a menudo, porque no soy muy expresiva. Aunque no me echara en sus brazos cada dos por tres, para mí era más que una madre. Cuando estaba en primaria y mamá trabajaba por las mañanas, me iba a desayunar a su casa. Me llevaba al colegio, volvía para almorzar, y mamá venía a buscarme a las cuatro, a su casa o al colegio. Y cuando mi madre trabajaba de tarde, era al revés, y a las cuatro me iba a hacer los deberes a casa de Bonne Maman. Cuando era más pequeña, incluso dormía parte de la noche en su casa, si mamá volvía tarde de trabajar. En primaria, Bonne Maman todavía podía ayudarme con los deberes. Y si no, se sentaba a mi lado y miraba lo que tenía que hacer, sin darme órdenes del tipo: «¡Ahora haz esto y luego esto! ¡Y después esto otro!».

Me decía cariñosamente:

–Empieza, y, si necesitas ayuda, dímelo.

Me comía la merienda, sacaba mi cartera y me ponía a ello tranquilamente Y si tenía problemas, llamaba a Bonne Maman. Si podía ayudarme, lo hacía con gusto. Mis padres no hacían lo mismo, sino más bien todo lo contrario: «Bueno, ¿qué?, ¿cuándo vas a terminar los deberes? ¡Porque ya son las cinco y media!».

Mi abuela se murió a los ochenta y cinco años, cuando yo tenía quince. Y me arrepentí de no haberme ido a vivir a su casa, o de no haber ido a verla más a menudo en lugar de pasarme el día con los amigos y amigas de mi edad. Pero no hubiera sido tan fácil. Mi familia iba a verla regularmente, hablaban de mí y yo no quería saber nada. También decidí no tener que ir siempre a visitar su tumba el día de Todos los Santos. Se puede llorar igual sin estar delante de una tumba. Bonne Maman me quería con ternura, sin juzgarme. Si hubiera podido esperarme, habría hablado con ella. Sabía escuchar, podría haberme desahogado con ella y un día seguramente se lo habría agradecido. Pero yo no tenía más que quince años, y me lo «perdí».

Necesitaba tanto estar con los amigos y amigas de mi

edad. Con ellos me reía, bailaba, charlaba durante horas. Vivía.

A los dieciséis años, conocí a un chico de mi pandilla mayor que yo. Yo no hablaba de esa historia, y nadie la mencionaba. Durante casi cuatro años, me dejaron tranquila, pude hacer vida normal. Por supuesto, tuve que rebelarme contra mis padres, que siempre se oponían a mis deseos de salir, sobre todo mi madre. Pero yo llevaba una vida de lo más normal y no iba a privarme de ello.

Ya no se hablaba del caso en la televisión. En esa época, ya ni tenía necesidad de seguir con mi terapia en solitario: vivía simplemente mi adolescencia. Aunque, mentalmente, me sintiera más vieja y, sobre todo, diferente de las chicas de mi edad, al menos ya no pensaba en «el otro» y, si aparecía algún artículo en el periódico, ya ni me molestaba en leerlo.

Pero, a partir de ahí, las relaciones familiares se deterioraron aún más. Mi novio, que entonces no era más que un amigo íntimo en el buen sentido de la palabra, no gustaba a mis padres. De modo que yo seguía siendo la inútil que sacaba «cates» en el instituto. Y que salía con un inútil.

Algún día tenía que enamorarme como las demás chicas. Lo necesitaba y a la vez me daba miedo. Y no había que condenarme al patíbulo familiar por ello. El amor es importante, sobre todo a los diecisiete años. A esa edad, me decidí. Antes lo habíamos estado hablando y hablando sin parar, y también nos habíamos peleado como niños. Él era igual de cabezota que yo, pero yo casi siempre cedía. Todavía no le había dicho que le quería, aunque estaba más claro que el agua. Él conocía mi pasado, igual que todo el mundo, pero casi nunca hablábamos de ello. Sería una «primera vez» para ambos, para mí por el amor y para él por la experiencia.

Yo fui la primera que tuve el valor de reconocer mis temores:

–Ya te imaginarás que se trata de una experiencia muy dura en mi vida, no será fácil.

Según me dijo, él tampoco era muy experto... así que me lo tomé a risa:

–¡Mejor, así lo haremos igual de mal los dos!

Y salió bien.

Conseguí superar el bloqueo que amenazaba con amargar mi vida de mujer durante mucho tiempo. Sólo el amor podía liberarme de ello.

No era el tipo de relación que fuera a durar toda la vida, pero, por desgracia, durante un tiempo así lo creí, y me llevé mi primer desengaño amoroso. Un gran disgusto. Formaba parte de la lógica de las cosas.

¡Al menos fue una historia de amor de principio a fin, y voluntaria! El psicópata ese sí que no sabe lo que es el amor. Ni siquiera que existe.

Al terminar el instituto, cuando obtuve el certificado de estudios superiores, no pude proseguir con ellos. Las finanzas maternas no lo permitían. Así que hice mis primeros pinitos en el mundo laboral bastante pronto, como muchas otras chicas de mi edad. Pasando de prácticas a trabajillos mal pagados, me fui labrando un porvenir hasta conseguir un sueldo pequeño pero estable. Como el ambiente familiar se estaba deteriorando hasta el punto de llegar a críticas insoportables, un día decidí dar un portazo, en el sentido más ruidoso y definitivo del término, dejando atrás mis muñecos y mis ilusiones pero llevándome mi «mal carácter» para forjarme una existencia propia. De no haber tenido ese «mal carácter», no sé cómo habría logrado sobrevivir. Probablemente muy mal.

Sienta la mar de bien darle un portazo a la infancia. Lo que se deja atrás no se olvida tan fácilmente, pero la ventaja es que ya no sigues encerrada dentro.

Cada vez que me ocurre algún contratiempo, me esfuerzo en pensar que «eso» no puede ser peor que «aquello» que viví a la edad en la que se aprenden los solecismos y los verbos en latín. Creo que al salir de ese inmundo agujero me fui forjando poco a poco una buena opinión de mí misma, diciéndome: «Has resistido muy bien, has sido muy valiente al decirte: "Aguanta, merece la pena mientras vivas, y sigues viva"».

Cada día se convirtió, pues, en la esperanza de seguir viva al día siguiente. Seguramente me endurecí después de esa experiencia. Algunos pensarán que es malo, yo prefiero pensar que es bueno y tomarme la vida con sarcasmo. He desarrollado incluso una especie de humor negro que choca a mucha gente pero que me permite reírme de algunos horrores, e incluso del «psicópata más perverso de Bélgica». No quería desmoronarme y mantuve esa apuesta conmigo misma durante ocho años. Creo que hay que superarse a uno mismo para darle un sentido a la vida, y sobre todo no dejar escapar el momento de hacerlo.

Si me hubiera llegado a hundir a los doce años, nada

más salir de sus garras, habría dejado escapar el momento crucial.

Con veinte años, me tuve que enfrentar al juicio, otro momento crucial.

Necesitaba ese encuentro cara a cara que se me había negado con doce años.

9

«D EL MALDITO»

El abogado Maître Rivière habló conmigo dos veces cuando yo tenía doce años. Ya no me acordaba.

Tampoco sabía que antes de eso había participado benévolamente en mi búsqueda, cuando aún no estaba a cargo del caso, lógicamente. Se ofreció a patrullar con su moto por los intercambiadores de las autopistas cercanas a mi casa, para examinar los aseos públicos automáticos, donde solían refugiarse drogadictos e indigentes. Cuando alcancé la mayoría de edad, con dieciocho años, me convocó en su gabinete para la confirmación de su mandato. A partir de ese momento, yo tenía que decidir si quería seguir en la línea que mis padres le habían aconsejado: nada de prensa y la mayor discreción posible sobre mi vida privada. Para mí, la cosa estaba clara. Ya no era una niña. Ahora se dirigiría a mí directamente, y me tendría al corriente de todo, lo cual no había sido el caso antes.

Cuando mis padres iban a verle y no me daban explicaciones al volver, tenía que morder el freno. La primera implicada era yo, y no ellos.

No estaba al tanto de cómo iba evolucionando la investigación. Ni de que se estaba barajando una nueva hipótesis según la cual ese Dutroux, «D el maldito», formaba parte de una gran red de reclutamiento dedicada a la prostitución de niñas y jóvenes, en la que él sólo ocupaba el cargo de reclutador. A partir de ahí, se formaron dos bandos.

Unos creían firmemente que la investigación había sido desastrosa, saboteada incluso, y que «D el maldito» se había estado beneficiando durante años de la «protección» de altos cargos. Dutroux había involucrado en el caso, además de al mequetrefe de la gorra, de apellido Lelièvre, y a su propia mujer, Michèle Martin, a otros dos cómplices: Weinstein y Nihoul. Weinstein, un antiguo atracador que salió de la cárcel en Francia, se instaló en Bélgica en 1992, en un chalé situado en Jumet. El lugar en que fueron encontrados los cuerpos de An y Eefje, drogadas y enterradas vivas.

Simplificando, Dutroux y Weinstein se conocían de robar coches. «D el maldito» le acusó de todo. Fue Weinstein el que quiso matarlas, él sólo las «durmió» antes de que Weinstein las enterrara vivas. Ese Weinstein ahora estaba muerto. Su cuerpo fue hallado en Sars-la-Buissière, en el jardín de Dutroux, donde también fueron encontradas las pequeñas Julie y Melissa. ¿Weinstein muerto? Dutroux juró no saber nada al respecto...

El otro cómplice, apellidado Nihoul, seguía vivo y estaba implicado en el robo de coches, pero Dutroux afirmó que era la persona a la que se suponía que tenía que entregar a las chicas, tras haberse aprovechado él mismo de ellas. Afirmó también haber construido el zulo en su casa de Marcinelle, como un lugar de tránsito para las futuras prostitutas que le proporcionaba a Nihoul. Según los inspectores, ese Nihoul era sin lugar a dudas un traficante, pero él negaba estar metido en las actividades pedófilas de su comparsa.

Según los primeros inspectores, Michel Demoulin y sus colegas, mis verdaderos salvadores, esa historia no tenía ni pies ni cabeza.

En cuanto a mí, testigo superviviente, no podía hablar más que de lo que había vivido durante ochenta días y ochenta noches. Nunca vi a nadie más que a Dutroux. A Lelièvre, el que participó en mi secuestro, sólo le oí confirmar mascullando, sin gran convicción ni detalles, el guión del perverso guión según el cual mi padre le habría hecho algo al gran jefe y se negaba a pagar mi rescate. Punto. Nihoul me era desconocido. Ese cuento del jefe se lo inventaron para meterme miedo, para convencerme de que él, Dutroux, era mi salvador, con el fin de tenerme completamente dominada por el miedo. Me iba a morir si me negaba a que me violara, me iba a morir si hacía ruido, vivía permanentemente en vilo. Pero nadie reclamó nunca ningún rescate, claro. Utilizó el mismo argumento con Laetitia, y es muy probable que actuara de la misma forma con Julie y Melissa. Con An y Eefje, más mayores, no debió de funcionar. Primero porque no hablaba el idioma de ellas, el holandés, y además porque Eefje intentó escapar dos veces de Marcinelle, desgraciadamente sin conseguirlo, por la ventana del techo bajo el cual me pedía que «tomara el sol».

Eso prueba que a ella no le asustaba salir. Dutroux declaró que en ese momento «tenía a cuatro en casa, las dos pequeñas en el sótano y las dos mayores en el piso de arriba», y que ya «no podía más».

¿De qué se las daba ese desgraciado, de padre de familia agobiado?

En lo que respecta a su mayor cómplice en mi opinión, su mujer, detenida al mismo tiempo que él, los inspectores no tenían la menor duda. Había confesado; estaba al corriente de todo: de los secuestros, de las violaciones y de lo demás, y no lo había denunciado porque era demasiado sumisa y le tenía miedo. Acusó a su «gran amor» de todo lo que él se negó a admitir. Según ella, era el responsable de los secuestros, junto con Lelièvre, y había eliminado a Weinstein y a las dos jóvenes. Reconoció que le había dado miedo bajar al zulo para llevar comida a las dos pequeñas cuando Dutroux fue encarcelado por robo de coches, pero ¡ignoraba cómo y cuándo habían muerto!

Me enteré de estos detalles poco a poco, sobre todo porque «D el maldito» cambió de versión.

Todo resultaba tan complicado, tan poco claro, que era evidente que Dutroux estaba intentando salvar el pellejo negando sus crímenes y amparándose en una red de prostitución imaginaria. Porque además, en los años ochenta, cuando le encarcelaron por violación de menores, ya alegó ese tipo de cosas: «Condenado por error, y víctima de un presunto error judicial, víctima de una maquinación urdida por personas demasiado peligrosas para poder denunciarlas, etc.». Porque ese maldito ya había purgado una pena de cárcel. Condenado por violación de niñas y adolescentes a trece años de prisión en 1989. Pero consiguió, por «buena conducta», salir en abril de 1992, con obligación de ser tratado, al igual que su mujer (ya entonces cómplice de sus violaciones), por un psiquiatra. Visitas rápidas, recetas de Rohipnol[1] para todos, que se apresuró a almacenar sin tomar el medica-

1. Ansiolítico (benzodiazepina) que produce somnolencia y que se utiliza en algunos casos para pacientes propensos al delirio.

mento, con la clara intención de utilizarlo para otros fines. Otro detalle importante, «D el maldito» conoció a un detenido condenado por robo que le explicó cómo construir un zulo invisible en caso de pesquisa. Ese hombre dio testimonio de ello.

Pero, para otros, todo lo que contaba el pedófilo demostraba la existencia de una importante red de prostitución de la que él no era más que un pequeño eslabón.

En 2003 se aproximaba el comienzo del juicio. No deseaba más que una cosa: mantenerme al margen de todo lo que no me concerniese de ese caso, lo que llamaban los diferentes «aspectos» de la investigación. Quería testificar sobre lo que había vivido y padecido; no iba a salirse tan fácilmente con la suya.

Pero los partidarios de la famosa red de prostitución, así como algunos medios de comunicación, se volvieron muy agresivos a causa del testimonio que yo había decidido aportar. Pretendieron hacer creer que yo había estado permanentemente drogada, que seguramente no me acordaba de nada. Que allí me convertí en una especie de vegetal inconsciente y que seguramente lo seguía siendo...

–¿Estás segura de que no viste a nadie más?

Como diciendo: «¿Y tú te crees lo del depredador aislado? ¡No has entendido nada!».

Maître Rivière sacó a relucir unas declaraciones del procurador del rey respecto de mí: «... Suponiendo que ella se acuerde de todo, el Rohipnol está, en efecto, omnipresente en este caso...».

Tratándose del futuro ministerio público, era preocupante, y humillante para mí. Al principio, mi testimonio les interesó, pero como seguía manteniendo que durante los ochenta días que pasé en esa casa sólo había visto al acusado, una vez a su acólito y a nadie más, pasé a interesarles mucho menos.

Maître Rivière siempre me defendió en los periódicos alegando que sólo estuve drogada los tres primeros días. Él era quien contestaba a los periodistas, yo nunca concedí entrevistas. Sólo hablé con los inspectores. Mi única participación en el acta procesal, quitando los interrogatorios del principio, consistió en recorrer en bici, junto con mi gendarme «Zorro», Michel Demoulin, el trayecto de mi casa hasta el colegio. Era una reconstrucción de los hechos necesaria para el sumario, llevada a cabo sin la presencia del acusado, afortunadamente.

Recuerdo que nos reímos mucho los dos cuando nos cruzamos con una furgoneta en la que ponía «El rey del pollo»... Conservo la foto que tomó aquel día un periódico local, donde se dice que todo se desarrolló de manera desenfadada, ¡y que tengo un buen golpe de pedal! ¡Pero es que ningún periodista había vuelto a verme desde que tenía doce años!

Esta vez, mi abogado me dijo:

–¡Tiene que hablar con la prensa! ¡Es usted la que tiene que explicarles que no estuvo drogada durante ochenta días! ¡Y que goza de una excelente memoria!

Así que organizó una rueda de prensa en su bufete con una decena de periodistas de la prensa escrita. Era la primera vez que me enfrentaba a un grupo de periodistas y estaba un poco estresada, aunque no fueran a filmarlo. La reunión fue muy sencilla e informal, me relajé enseguida y después nos dieron unos bocadillos y unas bebidas. Me vieron bromear, reírme, preguntarle incluso a mi abogado:

–¿Dónde están mis bocadillos de Rohipnol? ¡Que no se los coma nadie, son míos!

En fin, que se dieron cuenta de que yo era normal, concisa en mis respuestas a sus preguntas. Que no estaba medio loca, como algunos creían, y que, de haber habido el menor indicio de presencia de otra persona en Marcinelle, en esa casa asquerosa, me habría dado cuenta y lo habría anotado, puesto que anotaba todo aquello que veía o escuchaba. ¡Y de que lo habría contado enseguida!

Pero, tal y como decíamos con mi abogado, «cuando no se sabe, se inventa». Con el pretexto de que yo no quería hablar con periodistas, no como otros, y de que Maître Rivière respetaba escrupulosamente el secreto del sumario, seguían insinuando que yo debía de estar drogada o manipulada. Ese afán por tergiversar de antemano mi testimonio me dolió mucho. Los inspectores, Michel Demoulin y sus colegas, hombres a los que respeto enormemente por habernos liberado y por su conciencia profesional, nunca pusieron en duda mis declaraciones. Fueron los que me acogieron cuando salí y sabían muy bien en qué estado me encontraba en ese momento. Alterada, qué menos, pero lúcida ¡hasta el punto de querer estrangular a ese pedófilo! Laetitia estuvo allí seis días, de los cuales tres «grogui», como declaré. Yo estuve encerrada dos meses y medio y, evidentemente, recordaba más cosas que ella. Pero, por lo visto, desde lo que la prensa llamó el «seísmo» desencadenado por el caso del siglo en Bélgica, cada ciudadano se había hecho su propia composición de lugar. La gente no hablaba de otra cosa, en la calle, en los cafés, en el tren o en el metro. Periodistas y escritores habían publicado ya más de una quincena de libros. Mis padres tenían guardadas toneladas de artículos de prensa (yo misma había amontonado muchos en cajas de cartón, sin tener valor para clasificarlos o leerlos). Con mi propia historia y los recuerdos que me venían brutalmente a la memoria tenía bastante. Quería mantenerme en la línea de conducta necesaria para mi reconstrucción personal. Vivir mi vida sin ocuparme del resto, o lo menos posible.

Cuando se fijó definitivamente la fecha del juicio para el 1 de marzo de 2004, supe que iba a tener que volver a sumergirme en esa charca nauseabunda. La fecha del juicio había sido pospuesta varias veces, el caso salpicado de hallazgos, de pistas seguras y falsas. Cuatrocientas mil páginas de proceso, comisiones de investigación, destitución del juez Connerotte, inspectores apartados del sumario, como el propio Michel Demoulin, que había conseguido las primeras confesiones del «monstruo de Charleroi» y nos había encontrado vivas. Dimisiones de políticos, puesta en tela de juicio del sistema judicial, de la gendarmería, del Gobierno. El ministro de Justicia de entonces, acusado de haber ratificado la demanda de libertad condicional del monstruo en 1992. La marejada de la marcha blanca, la investigación de la investigación, los años de duda.

Bélgica esperaba por fin saber la verdad. Esperanza un tanto excesiva tratándose de un psicópata.

Frente a esa montaña que el caso representaba, me sentía a la vez minúscula y olvidada.

Ignoro lo que sintió Laetitia, pero yo tuve la impresión, en cierto modo legítima, de que cuando se hablaba de los padres de las víctimas no se hablaba más que de ellas. Yo me sentía de algún modo desplazada en esa historia por haber sobrevivido.

El tribunal tendría su sede en Arlon por una cuestión de competencia territorial, ya que el sumario se había reagrupado en Neufchâteau, que dependía de Arlon. La sala de la Audiencia no podía albergar a mucha gente, quitando los periodistas y los cuatro acusados: «D el maldito», su esposa Michèle Martin, Lelièvre y Nihoul.

La ministra de Justicia anunció un primer coste exorbitado para la organización de ese gigantesco *show* mediático, algo así como cuatro millones y medio de euros. La ciudad se preparó para recibir a miles de periodistas del mundo entero. Más de mil trescientos de ellos fueron acreditados para tan sólo dieciséis asientos disponibles en la sala, que tendrían que ocupar por turnos. Pero dispondrían de una sala con pantallas de vídeo y estarían pues conectados permanentemente con los debates que debían durar dos meses y medio, pero ¡que no finalizaron hasta el 22 de junio! Las partes civiles tenían derecho a alojamiento gratuito en un cuartel militar. Mi abogado prefirió un lugar apartado para nosotros tres: él, su colaboradora, Maître Parisse, y yo. Una medida de lo más satisfactoria para mí, que quería evitar en lo posible ser vista por los fotógrafos. De la seguridad se encargarían más de trescientos policías.

Un despliegue impresionante para una ciudad tan pequeña. Yo me alegré bastante de que el público estuviera restringido en la sala, pero la gente se quejó de antemano por no tener acceso.

Maître Rivière había decidido que mi testimonio constara de dos partes. Primero la lectura de mis cartas por un inspector, para evitarme tener que contestar a preguntas concretas sobre los malos tratos que en ellas describí. Después yo tendría que testificar directamente ante el tribunal sobre las circunstancias de mi secuestro y de mi «estancia vacacional» en el antro de «D el maldito». Faltaba por decidir la cuestión final, a saber, si mi testimonio se haría o no a puerta cerrada. Yo lo hubiera preferido. Pero Maître Rivière me avisó:

–A partir del momento en que el jurado conozca el contenido de sus cartas, usted ya no tendrá que volver a comentar sucios detalles; la lectura bastará para aclararlos. Pero si escoge declarar a puerta cerrada, pensarán que tiene algo que ocultar.

Así que decidí declarar en público. Sólo tenía que asistir a las audiencias que me concerniesen. Maître Jean-Philippe Rivière y Maître Céline Parisse cubrirían el proceso entero y me tendrían al corriente de los acontecimientos. Yo no tendría posibilidad de constituirme en parte civil hasta no ser citada como testigo. Una vez mi testimonio fuera registrado por el tribunal, podría asistir a todas las audiencias siguientes.

Esperé mi comparencia con muchos nervios hasta el 19 de abril de 2004.

Mientras tanto, me fueron llegando noticias por teléfono. Y, de este modo, me enteré de algunas cosas aberrantes sobre mi torturador personal.

Un inspector me contó que Dutroux quiso llevar a cabo una experiencia de inseminación artificial completamente disparatada con su mujer. Quería desesperadamente tener una hija, así que, basándose en el artículo de una revista, se inventó una técnica que consistía en hacer «llevar» a su mujer, interiormente y durante varios días, el contenido de su capital sexual en una bolsa de plástico. Ella no podía quitárselo hasta que acabara el plazo que él fijó en tres o cuatro días, creo. En ese artículo de divulgación, debió de entender que los espermatozoides que producían niños morían antes que los que producían niñas... Ignoro lo que piensan los científicos al respecto.

Entre otras fechorías, menos científicas pero igual de calculadas, se las apañó, con ayuda de su mujer, con la que se casó estando en la cárcel, para despojar a su abuela vieja y enferma de su casa y de su dinero.

En aquel entonces estaba encarcelado en Mons por violación, disfrutando de un permiso de salida.

Liberado por «buena conducta», con la conformidad de la administración penitenciaria, reclama una indemnización por invalidez con la excusa de haber caído enfermo en prisión. Y la obtiene. Ochocientos euros mensuales a cuenta del Estado.

Cuando una está ganando el salario mínimo, son cosas que cabrean.

Un ex presidiario de la cárcel de Mons dijo, creo que a un periodista: «¡Era una larva!».

Es reconfortante. Larva, monstruo, ogro, pedófilo, psicópata... ya no se sabía cómo llamarle.

Yo, cuando había agotado todos los insultos, le llamaba sobre todo asqueroso y apestoso, mugriento, aceitoso. Oí decir que seguía apestando. ¡Que se quejaba de las condiciones de arresto! ¡Que se daba cabezazos contra la pared para dar pena! Contó detalles espantosos para los oídos de los padres de las víctimas. Siguió jugando su lamentable papel de estrella, él solo, ridículo y penoso, sin respeto por los demás y sin la menor sombra de culpabilidad o de remordimiento.

A mí, una celda particular donde puede lavarse, comer, consultar «su» dossier, me parece demasiado lujo para él. Hubiera preferido una mazmorra. Oscura, con una luz en los ojos, un lecho de cemento. De un metro noventa de largo y noventa centímetros de ancho. Lo suficientemente baja para no poder ponerse de pie. Pan mohoso y un orinal.

Pero eso son cosas con las que sólo se puede soñar...

El 15 de abril de 2004, un inspector leyó ante el jurado las cartas dirigidas a mi familia, y la que le escribí a mi madre en particular. Mis dos consejeros quisieron evitarme de este modo tener que volver sobre esos sórdidos detalles y esas dolorosas confidencias durante mi futuro testimonio. Hasta ese momento no me di cuenta del impacto que podrían tener. Se hizo un gran silencio en la sala, algunos lloraron. La realidad del «cuarto del calvario», los malos tratos y los sufrimientos que conté detalladamente a mi madre con la inocencia de mis doce años fueron insoportables de escuchar, pero era necesario que el jurado los oyera.

Tras esa audiencia, Maître Rivière declaró a la prensa:

–Nos hallamos en un momento crucial del caso, tras abordar el dossier de las «víctimas vivas» de Marc Dutroux. Será más difícil echarle la culpa a los fantasmas y a las fantasmadas.

Ese día me dije que si me hubiese muerto durante esos ocho años de investigación, antes de que se abriera por fin el caso, esas cartas habrían hablado por mí.

Afortunadamente yo seguía ahí, ciertamente víctima, pero «testigo vivo».

10

PUZLE

Este caso era como un puzle gigantesco con fondo negro en donde yo tenía que colocar las piezas, también negras, de mis ochenta días de supervivencia en el zulo de Marcinelle. El hecho de que yo fuera a testificar no gustaba a todo el mundo. Me enteré de que algunos utilizaban la palabra «testigo» con cierto desdén. «La señorita Dardenne, el "testigo" como ahora se la llama», o «de la que ahora se dice que es "testigo superviviente" del caso»...

Puedo comprender la desdicha de aquellos que no recuperaron a sus hijas con vida. Pero no lograba entender que se me reprochara de alguna manera estar viva... o que mi abogado me llamara «señorita Dardenne» y no «la pequeña Sabine».

Yo no era una niña muerta. Tenía veinte años y estaba viva, no iba a pedir perdón por ello eternamente. Ni callarme acerca de lo que había vivido. No me creía la fantochada de la gran red de prostitución, la teoría que el cobarde ese quería imponer, y esa toma de posición me penalizaba ante ciertas partes civiles. A veces me digo que si hubiera sido legal utilizar el suero de la verdad con ese mentiroso patológico, se habría podido apaciguar la desesperación de algunos padres. Y también que este caso monstruoso se habría desarrollado con más calma.

Mis padres eran también parte civil, pero yo no quise que mi familia estuviera presente en el juicio. Necesitaba tranquilidad, y ellos también.

Llegué a Arlon la víspera de mi testimonio, para reunirme con mis abogados y con una multitud de preguntas en la cabeza. Estresada y nerviosa.

¿Puedo responder al presidente «Ya no me acuerdo» si me pide detalles de algo? ¿Será comprensivo ese presidente? Y si se me olvida algo, ¿no empezarán a decir otra vez que estoy chalada?

Estábamos alojados en un hotel de las afueras, rodeado de un magnífico parque. Maître Rivière prefirió un lugar tranquilo para él, para Maître Parisse y para mí. Maître Céline Parisse se las arregló para conseguir una habitación cerca de la mía por si me entraba mucha angustia; tenía que dormir bien y sobre todo dejar de hacerles setenta preguntas a la vez. Me ofrecieron un vaso de vino blanco, a modo de calmante, y yo, que no bebía nunca, por fin me relajé.

Había un furgón de la gendarmería delante del hotel. Los periodistas no sabían dónde estábamos. El personal del hotel estaba al corriente, pero fue discreto. Podía estar tranquila.

Ese momento, que llevaba años esperando, no me daba lo que se dice miedo. Quería enfrentarme al monstruo mirándole a los ojos. Lo único que me pregunté antes de dormirme era si iba a experimentar algún tipo de emoción y cuál. Sabía que no me echaría a llorar ni a temblar: ya no le tenía miedo. Le había visto por televisión en su jaula de cristal, con su traje de chaqueta, su pelo grasiento, tomando notas con aires de notario. Seguía dándoselas de estrella, quejándose de las «condiciones de arresto», negándose a que fotografiaran al «señor Dutroux», cuando él no se privó de fotografiar a niñas desnudas y encadenadas, de filmar sus hazañas de violador de niñas a las que había drogado en algún lugar de Eslovaquia, o los retozos con su mujer.

Al final, pasé una buena noche.

Al día siguiente, un comisario de la gendarmería vino a buscarme en un coche camuflado: los periodistas conocían de sobra los coches de mis abogados. Maître Rivière se marchó por su lado, Maître Parisse se vino conmigo y no se separó de mí hasta el momento en que entré en la sala del tribunal, y le agradeceré siempre lo que hizo por mí. El coche partió a gran velocidad y, como había bastante atasco por la carretera, la comisaria, una mujer de unos treinta años, puso la sirena y las luces giratorias. Me sentía como en una película policíaca y me puse a charlar como de costumbre, seguramente para vencer el estrés de esa jornada que iba a resultar agotadora.

Al llegar al tribunal de Arlon, teníamos que entrar por detrás, al amparo de los mirones, igual que los acusados, los testigos importantes, los inspectores y los magistrados.

Nunca había pisado un Palacio de Justicia y me estuve fijando en todo: el pitido del arco de seguridad, el registro de mi bolso (nada de cuchillos o pistolas, sólo cigarrillos y mecheros).

Me encontré con André Colin, uno de los inspectores que me sacaron del zulo. No lo había visto desde hacía ocho años, pero le reconocí enseguida; fue un verdadero placer volver a verlo. Me preguntó muy discretamente:

–¿Qué tal estás?

–De momento, bien, ya veremos luego...

Estuve riéndome, bromeando como siempre. Ya sé que es por guardar las apariencias y que no siempre se pueden reprimir las emociones, pero es una forma de dignidad hacia mí misma y hacia los demás.

Después llegué a la sala de los testigos, donde se encontraban dos psiquiatras, un analista y el juez de instrucción de Tournai. Debieron de pensar: «No nos la imaginábamos así...».

Yo me puse a bromear con Jules, el ujier, un abuelete que se preocupó mucho por mí:

–¿Quieres un poco de agua? ¿Quieres unas galletas? Venga, cómete una, te sentará bien.

Con ese buen hombre, casi se me saltan las lágrimas. Maître Parisse tuvo que dejarme; no podía quedarse con los testigos y faltaba poco para que se abriera la sesión.

Al cruzar el pasillo que conducía hasta la puerta de la sala, empecé a encontrarme mal. Jules había entreabierto la puerta para controlar la llamada de los testigos y pude ver a toda esa gente, la prensa, el banco de las partes civiles, el público. Me senté en una silla unos segundos. Empecé a sentirme acalorada y me dije: «Me va a dar algo, me voy a desmayar, no puedo más...».

Y entonces Jules me dijo:

–¡Vamos, te toca a ti!

Me ayudó a levantarme como si fuera una ancianita y me condujo hasta la puerta. Me daba cuenta de que estaba andando, pero no controlaba mis movimientos. Sin embargo, al penetrar en la sala, de repente, recobré fuerzas. Volví a estar motivada; tenía el banco de los acusados enfrente.

Dutroux, su acólito Lelièvre y los otros dos que no había visto más que en televisión, Michèle Martin y Nihoul. Este último no me interesaba. De hecho, parecía estar ausente, petrificado, como preguntándose qué hacía él ahí.

Pero a los otros tres, prisioneros de su jaula de cristal, no iba a privarme de escudriñarlos con la mirada, sobre todo a él. Unos segundos antes de ese momento, ignoraba lo que iba a sentir al volver a verlo ocho años después. Y, curiosamente, no sentí nada.

Había envejecido, seguía siendo igual de feo. Bajó la vista, pero yo le miraba fijamente.

Si hubiera podido decir: «Desgraciado, ¡mírame cuando llego!...».

Pero estaba en una audiencia, y bastante aterrada delante de toda esa gente que esperaba a que yo hablara. La sala me impresionaba mucho más que el acusado. Entonces, eché una mirada en dirección a mi abogado, Maître Rivière, para tranquilizarle y decirle en silencio:

–No se preocupe, no me voy a desmayar.

No esperé a que el presidente me llamara, me dirigí con paso firme hasta la silla reservada para los testigos.

–¿Sabine Dardenne?

–¡Presente!

Al día siguiente, en la prensa, se dijo que me temblaba un poco la voz. Es verdad que estaba muy intimidada, por el tribunal, por el ambiente, por toda esa gente mirándome, pero por las mañanas no suelo tener casi voz y me cuesta aclarármela, me ocurre desde pequeña. No es más que un pequeño problema de bronquios... No me temblaba la voz de miedo.

Maître Rivière me había dicho:

–Diríjase siempre al presidente. Él es quien hace las preguntas y a él es a quien hay que contestar. Y si desea hacer usted misma una pregunta, diríjase a él también.

Así que miré al presidente, me concentré en él, para evitar pensar en todas esas miradas clavadas en mí. Me di a conocer y el presidente comenzó amablemente:

–Entonces, iba usted en bicicleta al colegio ¿y qué más?

Conté mi historia, cuya narración fue más sencilla por las cartas que me habían precedido en esa sala. El presidente me preguntó si deseaba volver sobre ese asunto y le contesté:

–No especialmente...

Maître Rivière tomó la palabra, para hacerme tres preguntas que juzgaba importantes: cómo me había obligado a limpiar la casa; si había visto la televisión con él; y qué programas aparte de *Intervilles*[1] o *Château des Oliviers*[2].

Me acuerdo de mi respuesta a su última pregunta:

–Canal + sin descodificar. Me decía que tenía que esforzarme por descifrar las imágenes. Yo no tenía ganas, no me interesaba, ya lo veía en vivo y en directo.

Estaba esperando a que el presidente me preguntara, como es habitual: «¿Tiene usted algo que añadir?».

Maître Rivière sabía muy bien que yo tenía una pre-

1. Concurso televisivo de juego en equipos. *(N. de la T.)*
2. Telenovela francesa. *(N. de la T.)*

gunta en mente. Mi pregunta personal al acusado. Como el presidente no parecía acordarse, intervino Maître Rivière.

Miré al acusado de frente, formulando mi pregunta al presidente para respetar la norma, pero sin quitarle a él los ojos de encima, era a él solo a quien la pregunta iba dirigida:

–Me gustaría preguntar una cosa a Marc Dutroux, aunque ya me imagino la respuesta. Se quejaba de que yo tenía muy mal carácter, querría saber por qué no me liquidó.

Se levantó para contestar detrás del cristal, pero agachando la cabeza; seguía sin mirarme.

–Pero es que yo nunca pensé en liquidarla. Le metieron eso en la cabeza cuando salió del sótano.

Dirigiéndome siempre al presidente, añadí:

–De este tipo de personas no se pueden esperar otras respuestas.

Había terminado de declarar y el presidente me autorizaba a salir de la sala, pero en ese preciso instante, cuando ya me había levantado de la silla, tuve el presentimiento de que uno de los acusados iba a levantarse para decir algo. Estaba segura de que iba a ser ella, la mujer, la cómplice madre de familia, y fue ella, en efecto, la que quiso excusarse llanamente.

–Señorita Dardenne, quisiera pedirle perdón...

Se me heló la sangre en las venas.

–¿Usted que sabía dónde estaba, con quién estaba y lo que estaba padeciendo? ¡Usted, que es madre de familia! ¡Su perdón, no lo acepto!

–Me arrepiento de no haber denunciado a Dutroux en el momento en que secuestró a Julie y Melissa. No le pido que me perdone porque es imperdonable. No pretendo comprender lo que usted ha padecido porque no puedo imaginarme a mis propios hijos encerrados en una jaula. Reconozco mi culpa.

–¡Lo siento, pero no perdono!

Pienso que nos pidió perdón, ya que luego hizo lo mismo con Laetitia, para intentar protegerse de todo lo que se le venía encima.

Lo supo todo, desde siempre, fue su cómplice desde principios de los años ochenta. A ella se lo contaba todo, y ella aceptó que un psicópata fuera el padre de sus hijos. Ahora que estaba en la cárcel y que no podía verlos, se había dado cuenta, espero, de su propia monstruosidad. Ella, que dejó que violaran y mataran a las hijas de otros, ¡ahora reclamaba a los suyos! ¡Y encima obtuvo un permiso de visita para los más pequeños; sus abogados pelearon por ello! Compadezco a esos niños. Se han tenido que cambiar de nombre porque los insultaban y andan en familias de acogida de aquí para allá, con el peso terrible de tener un padre y una madre criminales. ¿Cómo osaba pedirme perdón?

Me marché, aliviada. Todo había terminado, dejaría de estar en el punto de mira. Y, al final, pude más yo que él: no se atrevió a mirarme de frente. Contestó lo que le dio la gana, pero no esperaba respuestas verdaderas por su parte. Sus abogados lo calificaron un día de «psicópata inmaterial». Curioso, porque para mí era precisamente espantosamente material. El fiscal concluyó mi testimonio añadiendo:

–Ningún comentario; ninguna requisitoria podrá reemplazar tal testimonio, lo escuchamos con humildad y respeto.

La víspera, Dutroux dijo también, durante una audiencia a la cual no asistí, que yo estaba destinada a la red de prostitución de Nihoul. Le pregunté al presidente si el acusado tendría «la amabilidad» de explicarse a este respecto, ya que yo no debía de «haber entendido del todo bien lo que había querido decir el acusado».

Espero que no tomara en sentido literal la ironía de la palabra «amabilidad». Contestó, mirando como siempre sus apuntes, su manera de no afrontar a los demás:

–Al principio, tenía que entregársela a la red de prostitución de Nihoul, pero me encariñé con ella...

El presidente le cortó.

–Pensé que había sido para colmar el vacío de Julie y Melissa.

A partir de ahí, se enredó en un complicado monólogo, con su voz necia y monótona de pelota que quiere parecer inocente delante del tribunal, que ha violado pero no ha matado a nadie.

–O sea, ¡que le tengo que dar las gracias! ¡Me ha salvado la vida!

–No, no estoy diciendo eso, tengo mi parte de culpa.

¿Por qué no me había liquidado? ¿Ese miserable decía haberse encariñado conmigo? ¿Quería acaso manipular al jurado haciéndole creer una ignominia semejante? ¿O hacérmela creer a mí, su víctima?

Después le llegó el turno a Laetitia. Le dijo al presidente que no podría prestar juramento de «hablar sin odio y sin miedo». Empezó a contar su historia, igual que yo.

–Estaba en la piscina, una camioneta se detuvo... El tipo hizo como que no entendía lo que le decía, y mientras tanto el otro me agarró y me metió dentro...

Cuando se puso a hablar del zulo, el presidente le preguntó:

–¿Cómo se organizaban ustedes dos en ese zulo?

–Estaba el muro, Sabine, yo y el muro.

–Sí, en esa época eran jóvenes y delgadas.

–¿Acaso ahora estoy gorda?

Tuve que contenerme la risa. En cambio, lo que me irritó fue la pregunta estúpida y fuera de lugar que le hizo uno de los jurados:

–Usted estaba en la piscina, no se bañó porque tenía la regla... y sin embargo usted dice que la violó.

Laetitia estaba molesta, perdida en esa silla. ¡Estuve a punto de coger el micrófono y mandar al cuerno a ese patán! ¿Acaso puede hacerse una pregunta así cuando se tiene la responsabilidad de juzgar a un psicópata, pedófilo y obseso sexual? ¡Como si ese tipo de «detalles» pudiera molestar a semejante monstruo!

Vi a Laetitia a la semana de haber empezado el juicio, y no estaba segura de querer testificar. Le dije:

–Será duro, pero piensa también que es lo que ese cerdo se merece; tienes que venir a contar lo que te ocurrió.

Y allí estuvo, valiente, atacándole incluso. Quería saber hasta qué punto la drogó los primeros días, qué grado de lucidez pudo conservar o no. Sus recuerdos eran borrosos, lo cual le resultaba bastante insoportable.

–¿Por qué me hizo beberme ese café hasta la última gota?

Es decir, ¿el café también contenía droga o no? Le contestó tranquilamente que él acostumbraba a beberse el café entero. Era normal, ¡no le gustaba desperdiciar nada! Por una vez, creo que no mintió; encajaba con su forma de ser: beberse el líquido de las latas, vaciar el agua del baño en el retrete, dejar enmohecerse el pan, no lavarse los dientes, beberse el café hasta la última gota...

Y las preguntas se sucedieron, crueles.

–¿Le dijo: «Todo el daño que puedo hacerte es hacerte el amor»?

–Sí.

–¿Le dio píldoras anticonceptivas caducadas?

–Sí.

–¿Ha ido usted a ver a un psicólogo?

–No.

–Al parecer, no le ha hecho falta.

Yo ignoraba que ella también se las había «apañado» sola después de aquel infierno.

Al ver testificar a Laetitia, y sobre todo al oírla contestar a algunas preguntas «no lo sé» o «ya no me acuerdo», intentando aguantar valientemente el tipo delante del monstruo, me volvieron a la mente penosas imágenes de ella, atada. Todavía la oía contestándome con voz dormida, cuando quise avisarla:

–Ya lo ha hecho...

Era mi culpa si ella estaba ahí, delante de toda esa gente, obligada a contestar o justificar lo que había vivido. Por mucho que me dijera que de no haber sido ella, habría cogido a otra, me dolía verla allí. Intenté deshacerme de esa culpabilidad, pero no lo conseguí. Ya con doce años, durante la marcha blanca, creo, me excusé como pude.

–Sabes, estaba sola, me estaba volviendo loca, no tenía nada que hacer, te lo dije cuando llegaste, hacía setenta y siete días que estaba allí con ese cabrón, padeciendo sus abusos todos los días o casi. Soy una niña, no podía imaginarme que ese tío era un «secuestrador» de niñas y que a ti te haría lo mismo.

Pero ese día, cuando el presidente le preguntó al acusado: «¿Secuestró usted a Laetitia?», él contestó:

–¡Fue Sabine la que me dio la tabarra pidiéndome una amiga!

Quise que se me tragara la tierra. ¿Me iban a echar eso en cara toda mi vida? Laetitia me miró, y ambas intercambiamos un pequeño gesto de afligida connivencia.

Lo habíamos estado hablando las dos antes de su testimonio. No quería importunarla, ni poner el dedo en la llaga, sino que comprendiera que si yo me había salvado, había sido gracias a ella.

–No olvides una cosa. Yo no tuve la suerte de que hubiera testigos cuando me cogió. Así que de no haber sido por ti... Te tocó a ti, es una pena, pero gracias a tu secuestro me encontraron a mí, estoy viva, y estás viva. Te jorobé un poco la vida, pidiendo una amiga, y lo lamento, pero fue gracias a ti y a los testigos de tu secuestro por lo que estoy hoy aquí.

Nunca podré deshacerme de esta carga, aunque espero que ella no esté resentida conmigo. Al terminar la audiencia, le dije bromeando:

–Mira, todavía queda sitio en la jaula de los acusados; si quieres, ¡me meto yo también!

–Pues no. Es cierto que fuiste tú la que pidió una amiga, pero si no hubiera sido yo, habría sido otra. Me tocó a mí, pero los peores momentos ¡me los hizo vivir él, no tú!

Más adelante, en una entrevista, un periodista me dijo:

–Parece haber una complicidad muy fuerte entre usted y Laetitia, ¿no es así?

–Sí, nos sentimos muy cercanas por las cosas que vivimos en común. Lo que ocurre es que no somos amigas de veraneo, ni compañeras de clase ni amigas del barrio. Laetitia es una amiga de infortunio.

Ella, al igual que yo, se dio cuenta tras su difícil testimonio de que la mujer de Dutroux intentaba pedirle perdón, pero le cortó la palabra enseguida.

–¡No quiero oír sus lamentos, el mal está hecho, ya es demasiado tarde!

–Quiero pedir mis más sinceras disculpas... soy consciente del daño que he causado...

Empezaba a resultar cargante. A ver si se callaban de una vez. Además, al tío ese le resbalaba cualquier sentimiento de culpa, le importaba un rábano el daño que había hecho, las niñas que había secuestrado, dejado morir o enterrado vivas. Sólo le importaba «hacer sus ademanes» delante del tribunal. Conmigo no funcionó.

No me esperaba otra cosa; fue fiel a sí mismo, tal como lo recordaba: vanidoso, manipulador, tortuoso, incapaz de decir la verdad. Al terminar la audiencia, tras el testimonio de Laetitia, dije delante de las cámaras (y eso que me contuve):

–¡Sus excusas que se las meta por donde le quepan!

La prensa escribió que le había vencido, que tenía agallas y mucho carácter. Tanto mejor, pero todavía faltaba la requisitoria y el veredicto para liberarme de ese retorno al pasado, y nunca mejor dicho porque nos esperaba otro mal trago...

El tribunal decidió llevar a los jurados, los abogados,

los testigos y los acusados, como de excursión informativa, a visitar el zulo.

Pensé que sería capaz de soportarlo, pero lo pasé mal.

Al llegar a Marcinelle, me estuve riendo con Laetitia. Me confesó:

–¡Yo, como vea una araña, me pongo a gritar! ¡No os asustéis!

Y yo le recordé lo que nos repetía cuando nos bajaba al zulo:

–¡No toques la pared! ¡Que no se te olvide! ¡Si no te voy a castigar!

No sé por qué nos decía eso, por qué precisamente respecto a ese muro, si ya había tocado todos los demás.

–¡Sí, sí, me acuerdo! ¿Tú crees que el póster del dinosaurio seguirá ahí?

Sé que Laetitia no se ha distanciado tanto del pasado como yo, y que mi humor negro a veces le choca; a ella no le ayuda a salir del bache como a mí. No obstante, estuvimos bromeando antes de entrar en el zulo. Una vez delante de esa casa siniestra, detrás de las lonas que nos protegían de los mirones, la cosa cambió. Tuvimos que esperar a que pasara todo el mundo. Los jurados, los jueces, los asesores, las demás partes civiles. Y, a medida que iba subiendo la gente, con la cara descompuesta, me fui dando cuenta de lo que me esperaba. Laetitia también.

–¿Has visto qué caras?

Laetitia bajó antes que yo. Y cuando volvió, me dio miedo. Si ella, que sólo pasó seis días allí dentro, estaba en ese estado, yo no iba a poder aguantarlo. Me puse lívida como un muerto. Empecé a sentir mucha angustia.

Entré con mis dos abogados en la primera habitación; ahí todavía aguanté el tipo.

–En esta casa todo sigue igual de revuelto.

Me pregunté por dónde tenía que empezar. ¿Por el cuarto o por el sótano?

Preferí empezar por el sótano. Bajé la escalera sin tocar el muro, pero esta vez porque habían instalado una cuerda para las personas mayores.

La escalera es bastante estrecha. Hay doce escalones, solía contarlos al bajar.

Entré sola en ese agujero. No habríamos cabido los tres a la vez.

En un segundo volví al pasado y, como en una película, todo empezó a desfilar por mi mente, una imagen tras otra. Me volví a ver haciendo los deberes, escribiendo mis cartas. Desesperándome cuando hubo el apagón, peleándome con las bombillas y con el ventilador que había dejado de funcionar. Estaba también la marca que dejó Julie, señalada con un círculo por los inspectores, y me sentí culpable por no haberla visto. Si la hubiera visto, ¿habría comprendido? ¿Le habría hecho preguntas? No tengo ni idea, pero el 15 de agosto habría podido, al menos, informar a los inspectores.

¡Era tan minúsculo ese lugar!; ahora me parecía todavía más diminuto, más asfixiante y más horrible.

Subimos para ver el cuarto de las literas. Estaban oxidadas, habían serrado la escalerilla, el póster del dinosaurio ya no estaba. Esa habitación me pareció también más pequeña. En el otro cuarto, estaba todo igual: la cama, los percheros, la mesa al otro lado de la cama donde estaba ese puzle que me ponía tan nerviosa. Ya estaba empezado cuando yo llegué. Cuando me daba un respiro y se ponía a ver esos programas de televisión nulos, yo miraba al techo o a ese puzle. Intenté dos o tres veces acabarlo. Sólo me faltaban algunas piezas para completarlo. Pero era un paisaje tono sobre tono con mucho verde y mucho azul grisáceo, difícil de hacer. No se me ocurrió preguntarle quién lo había empezado. Quizá las cuatro intentaran hacerlo antes que yo.

Nunca conseguí terminarlo. Una vez me cabreé y le di un manotazo... Me ponía muy nerviosa ese puzle, era un horror. Esa casa era un horror, tenía que salir de ahí, y sin embargo no lo conseguía.

Laetitia bajó a buscarme, salí con ella. Alguien me dijo que en ese momento yo aparentaba doce años. Estaba triste, pálida y furiosa, porque «el otro» también iba a dar la vuelta a su casa de Marcinelle, esposado y con un chaleco antibalas.

No sé si estaba furiosa conmigo misma por haberme venido abajo, o contra él por tener derecho a estar ahí, ¡y encima criticando! Se permitió decir al salir:

–En qué estado han dejado mi casa...

Ya no podía más. Le dije a Laetitia:

–Yo me quedo aquí. Que tenga el valor de pasar delante de nosotras y de mirarnos al menos por una vez. Aquí no hay jaula de cristal que valga...

Me puse a propósito en su camino, le miré fijamente, él miró al suelo y yo le traté de crápula. Sólo esa palabra, nada más. La única que me vino a la mente.

Me apartaron. Laetitia me dijo:

–Respira, respira, ven a tomar el aire...

Estaban todos esos furgones de la gendarmería, las lonas, las barreras, así que me alejé un poco.

Al verle salir de la casa, me hubiera gustado encararle de nuevo, e incluso plantarme delante de la puerta del coche en el que iba a subir. Estaba harta de que bajara la mirada. Pero me arriesgaba a que el presidente me llamara al orden, me volviera a llamar la atención. Así que me quedé donde estaba. Pasó a un metro de mí y no sentí nada. Yo era fuerte, aunque llorara, era yo la que le dominaba a él. Él no me daba miedo, fueron la casa, el zulo, el cuarto los que me pusieron en ese estado.

Pero los periodistas estaban cerca y al día siguiente no se leyó otra palabra en los periódicos:

«Crápula.»

Me había aliviado. Si hubiese podido seguir, si al menos me hubieran dejado despacharme con él como llevaba deseando tanto desde el 15 de agosto de 1996...

«¿Has visto lo que has hecho? ¿Has visto adónde has ido a parar? Estarás contento, ¿no?»

Como si tuviera doce años. Seguía con la rabia de mis doce años. También se me podía haber ocurrido la descabellada idea de pedir autorización para visitar la casa con él. Para que se le metiera bien en su cabeza de psicópata que todo había acabado.

«¿Lo ves? No tengo miedo, ¡hasta entro contigo!»

Pero no lo hice. Creo que el soldadito valiente habría sobrestimado sus fuerzas.

En su alegato, Maître Rivière supo transmitir con gran sentimiento cómo había conseguido yo reconstruir mi existencia de niña pequeña, y de adolescente, hasta llegar por fin a ese tribunal y mirarle a la cara.

–La señorita Dardenne no quiere que usted se lo imagine, quiere que sepa que a los dieciséis años se enamoró y que tuvo que justificarse por algunos rechazos. Fue humillante tener que explicarle al otro ese rechazo, que por supuesto no se debía a ningún asco hacia la persona amada. Pero entre ellos dos, Dutroux, estaba su aliento fétido, su respiración de búfalo y sus sucias patas. Y sin embargo, ¡hicieron el amor! ¡Hacían el amor, Dutroux! Una experiencia que usted nunca conoció. Y ésa es la revancha de Sabine.

Tuvo el descaro de murmurar al final del alegato que «no estaba celoso» y que me deseaba una vida feliz. ¿Quién podía entender a un psicópata de esa calaña?

Un tribunal, un fiscal y un jurado.

La requisitoria estaba clara, ya no se trataba de ninguna red de prostitución imaginaria, sino de asociación de malhechores. De raptos, violaciones, secuestros, crímenes y asesinatos.

Los miembros del jurado tuvieron que contestar sí o no a doscientas cuarenta y tres preguntas.

Y las condenas cayeron sin circunstancias atenuantes. Reclusión a cadena perpetua, acompañada de una «puesta a disposición» del Gobierno durante diez años para Dutroux.

Tendrá que apurar su pena igual que el café, hasta las heces.

Su mujer, Michèle Martin: treinta años. Lelièvre: veinticinco años. Y cinco años para Nihoul, el último acusado, traficante, confidente de la policía, ladrón, pero que, a los ojos del jurado, no tenía nada que ver con la «red mafiosa» que Dutroux quiso encasquetarle por todos los medios.

La teoría de los primeros inspectores, Michel Demoulin y Lucien Masson, y del juez de instrucción Langlois fue por fin aceptada. El «señor que me cuida» era un «depredador aislado».

Se acabó. Los acusados podían recurrir al Tribunal Supremo, si consideraban haber sido perjudicados durante el desarrollo del juicio.

El perverso aislado lo hizo; era de esperar. Así que yo no he enterrado todavía el hacha de guerra. No puedo meterme en el cerebro de un psicópata, pero me gustaría comprender qué es, cómo funciona y por qué.

Quizá me haría más inteligente.

Recuperé mi vida privada, y mi compañero, al que tuve abandonado durante ese período de locura. Y también mi trabajo, y ese tren de cercanías que me pone nerviosa, y las miradas «raras». Un día llegaron incluso a pedirme un autógrafo y me puse muy agresiva.

Frente a la multitud de gente y de periodistas que aguardaban fuera del Palacio de Justicia, solía pensar que iba a tener que abrirme paso en un mundo de *voyeurs*.

Luego me encerré, voluntariamente esta vez, para ordenar las piezas de ese gigantesco y oscuro puzle en el que sobreviví. Quería archivarlo en mi memoria, de un modo que espero que sea definitivo. Un libro en una estantería.

Y poder olvidarlo muy pronto.

SABINE DARDENNE
Verano 2004

ÍNDICE

Título de la edición original:
J'avais douze ans, j'ai pris mon vélo et je suis partie à l'école...
Traducción del francés: Virgina López-Ballesteros,
cedida por Ediciones Martínez Roca, S. A.
Diseño: Eva Mutter
Fotografía de la sobrecubierta: © Jean Marie Perier/Atlarge

Círculo de Lectores, S. A. (Sociedad Unipersonal)
Travessera de Gràcia, 47-49, 08021 Barcelona
www.circulo.es
3 5 7 9 5 0 1 0 8 6 4 2

Licencia editorial para Círculo de Lectores
por cortesía de Ediciones Martínez Roca, S. A.
Está prohibida la venta de este libro a personas que no
pertenezcan a Círculo de Lectores.

© Oh! Éditions (Francia), 2004
© Sabine Dardenne, 2004
© de la traducción: Virgina López-Ballesteros, 2005
© Ediciones Martínez Roca, S. A., 2005

Depósito legal: B. 35467-2005
Fotocomposición: Víctor Igual, S. L., Barcelona
Impresión y encuadernación: Printer industria gráfica
N. II, Cuatro caminos s/n, 08620 Sant Vicenç dels Horts
Barcelona, 2005. Impreso en España
ISBN 84-672-1447-3
N.° 30437